世界名著好享读（原版插画典藏版）

南来寒 主编

格 林 童 话

〔德〕雅各布·格林　威廉·格林 著

李知乐 译

人民东方出版传媒

东方出版社

图书在版编目（CIP）数据

格林童话/（德）雅各布·格林，（德）威廉·格林著；南来寒主编；李知乐译.
—北京：东方出版社，2017.4

（世界名著好享读）

ISBN 978-7-5060-9576-1

Ⅰ.①格… Ⅱ.①雅…②威…③南…④李… Ⅲ.①童话－作品集－德国－近代
Ⅳ.①I516.88

中国版本图书馆CIP数据核字（2017）第074729号

格林童话

（GELIN TONGHUA）

［德］雅各布·格林　威廉·格林 著　南来寒 主编　李知乐 译

策划编辑：鲁艳芳
责任编辑：杨朝霞　周　朋
装帧设计：飞扬时间·菜根设计

出　　版：东方出版社
发　　行：人民东方出版传媒有限公司
地　　址：北京市东城区东四十条113号
邮政编码：100007
印　　刷：北京汇林印务有限公司
版　　次：2017年11月第1版
印　　次：2017年11月北京第1次印刷
开　　本：880毫米×1230毫米　1/32
印　　张：7.125
字　　数：136千字
书　　号：ISBN 978-7-5060-9576-1
定　　价：36.00元
发行电话：（010）85924663　85924644　85924641

一个丑八怪婴儿

公主嘲弄着她的每一个追求者

蟾蜍给了"缺心眼"一块最漂亮的地毯

三王子来到了魔法城堡

小女孩在一棵树下坐了下来

小伙子把两只眼抱上了马

重寻名著阅读的愉悦和享受

直到现在，我仍然不会忘记小时候读的第一本世界名著——《安徒生童话》。那时候，丑小鸭不同寻常的经历，总是让我心潮澎湃；寻找钟声的王子和穷人家的孩子那份对美好的向往和执着追求，更是让彼时稚嫩的我热血激荡……每一个奇妙曲折的小故事，都会带我走进一个不一样的世界，从那时起，我就开始一本接一本地读起了名著，它们就像是有一种让人难以自拔的魔力。名著里的那些故事，虽来源于我们的生活，但经过大师们的演绎之后，又将一个个我们意想不到的画面呈现在我们面前，充满了无穷的想象力。

童年的阅读经历对我的成长起到了至关重要的作用，所以我想让现在的孩子们像那时的我一样，能够同样获得美妙的阅读体验，将那些充满奇幻色彩和诗情画意的故事一代代传承下去。

然而，犹记得，我孩童时代的名著图书，几乎没有什么插图，封面和装帧设计也乏善可陈。如今的孩子，阅读的可选择面广阔多了，很多时候，阅读变成了老师的作业、父母的安排！如何让当下的孩子们重拾我当年阅读名著时的愉悦和享受，让他们发自内心地去阅读、去探究，成了我念兹在兹的一种理想。

基于这个纯粹而又迫切的初衷，经和东方出版社编辑鲁艳芳女士协商，策划了这套"世界名著好享读"系列图书，将一些真正适合孩子们阅读的名著翻译出版，作为一份迟来的礼物献给孩子们，希望还赶得及填补那一块为名著而预留的阅读空白。

这套"世界名著好享读"丛书，涵盖了童话、寓言、诗歌、小说和历史知识等不同内容和体裁，包含了亲情、自然、探险和历史等不同题材的作品，意在让孩子们获得全方位的阅读体验。一直以来，我都秉承尊重原著的原则，所以这套书的底本均选用了美国长期从事经典名著出版的亨利·阿尔特姆斯出版公司的原版初印权威版本，相信这对于每一个渴望阅读的孩子来说，都将是一场愉悦身心的文学盛宴。

在这套图书中，《安徒生童话》《格林童话》《伊索寓言》这些耳熟能详的童话寓言故事，会让孩子们初识社会，了解人性的善恶、美丑、真伪；《爱丽丝漫游仙境》《爱丽丝镜中奇遇记》《沉睡的国王》将带孩子们一次次进入梦幻之乡，让他们的想象力得到大幅提升；《海角乐园》《冰海惊魂》《哥伦布发现美洲》会携孩子们进入开拓探险的世界，告诉他们什么是坚韧，如何变得更勇敢。至此，请原谅我，将好东西藏在了后面，那就是在这套书中，我将遗失已久、几代人都无缘读到的名著——《穆福太太和她的朋友们》《图茜小姐的使命》《狐狸犬维克的故事》千方百计地寻觅出来，其中所经历的艰辛在此我不加赘述，我只想借由这三本书此次的重磅登场，让孩子们幸运地重新亲近这些顶级的作家和他们的作品。最后，我当然也不会辜负那些喜爱戏剧的孩子，在这样的精神大餐中怎么能缺少戏剧界的旷世奇才——莎翁的作品呢？为了降低阅读难度，我特意选取了英国著名作家查尔斯·兰姆和他姐姐共同改编的《莎士比亚戏剧故事集》，让孩子们可以无障碍地步入莎翁的世界。

好了，喜爱精美插画的孩子们，先别着急，我并没有忘记要满足你们这个合情合理的需求。我深知，优秀的插画除了要有色彩、线条、构图的外在形式美之外，更重要的是要具备作品内容所呈现出的内在意蕴美。"世界名著好享读"系列图书是我从事图书策划工作以来整理的插画量最大的一套书，其中很多种图书的插画量达到一百多幅，更有甚者，《鹅妈妈童谣与童话故事集》的插画量竟达到了近二百幅，堪称名著的绘本版了。此外，为了完美彰显名著的神韵，书中所使用的每一幅插图都经过了细致入微的修复。海量的插画并没有成为文字的"附庸"，这些来自不同画家的手绘插画或者版画丰富了文字的内涵，对孩子们来说也是一种美育熏陶的过程。所以说，这不仅是一场阅读的狂欢，更是一次审美的嘉年华。

接下来，我要做的，只是把孩子们引领到安徒生、莎士比亚、史蒂文森、约翰·班扬、刘易斯·卡罗尔、霍桑……这些大师、巨匠身边，互作介绍以后，就安静地离开，就像钱理群先生说的："让他们——这些代表着辉煌过去的老人和将创造未来的孩子在一起心贴心地谈话。"

那么，孩子们，接下来那些愉悦和享受的阅读时刻，就留给你们了。

稻草人童书馆总编辑　南来寒

二〇一六年八月于广州

· 目 录 ·

青蛙王子

很久以前，人们心中的愿望到最后都能够实现。那时，有一个国王，他有好几个长得非常美丽的女儿，而相貌最出众的，还要数他最小的那个女儿。就连见多识广的太阳，每次见到这个小公主，都对她的美丽感到惊叹不已。

在王宫附近有一片大森林，在森林中一棵古老的椴树旁，有一个很深的水潭。每到天气闷热的时候，小公主就会独自一人来到水潭边乘凉。当她感到无聊的时候，她往往会掏出口袋里的金球，用手上上下下地抛着玩。这是她最喜欢的游戏。

有一次，就在她玩得正高兴的时候，她一下子没接住，金球掉到了水潭中，没入水里不见了。小公主知道这个水潭深极了，她根本就捞不上来，于是伤心地哭起来，而且哭声越来越大。

这时，突然传来一个声音："小公主，你为什么哭呀？你哭得这么伤心，谁听了都会难过的。"

听到有人说话，小公主不哭了，四处张望起来。她看到了一只十分丑陋的青蛙正从水里伸出头来。

小公主看到了一只青蛙

"原来是青蛙呀，我知道你最擅长游泳了！"小公主叫道，"我的金球刚刚掉到了水里，所以我就伤心地哭起来。"

"原来是这件事呀，那你就不用着急了，我有办法帮你找到金球。"青蛙得意地说，"不过，如果我帮了你，你该怎么报答我呢？"

"你……你想要什么都行。"小公主急忙回答道，"看，我身上漂亮的衣服、昂贵的珠宝，还有头上的皇冠，都可以送给你作为报答。"

"衣服、珠宝、皇冠这些我都不需要。"听了小公主的话，小青蛙摇摇头说，"我只想和你做个好朋友。我们可以一起玩，我可以和你一起吃饭，并允许我使用你的小碗和酒杯。到了晚上，你得让我睡在你漂亮的小床上。如果这些你能答应的话，我马上就去帮你找金球。"

"哦，当然了，这些条件我都答应，快去找我的金球吧。"小公主催促道。不过她心里想的却是：这只青蛙是疯了吗？看他那个丑样子，怎么配做我的朋友呢。他浑身上下脏兮兮的，居然还要睡我的床，真恶心。

看到小公主答应了自己，小青蛙兴奋得"呱"地叫了一声就潜入水中。不一会儿，小青蛙的脑袋浮出了水面，嘴里果然衔着那个金球。他游到岸边，把金球放到草地上，刚要往上爬，谁知小公主迅速地捡起金球，飞快地跑掉了。

"慢点儿跑呀，小公主，等等我！"小青蛙急忙喊道。

可不管小青蛙怎样喊叫，小公主都没停下脚步，她一溜烟儿地跑回了王宫。小青蛙没办法，只好默默地回到水中。

第二天，小公主和国王在一起吃饭。她刚端起碗，就听到宫殿的大门"啪啪"地响了起来——有人在敲门。小公主站起来，跑到大门口，想看看是谁来了。可当她一打开门，就看到昨天那只小青蛙正站在台阶上看着她。她吓得"啪"的一声关上了大门，胆战心惊地回到座位上去了。

国王看到小公主突然变得神色不安，就关心地问道："亲爱的女儿，你怎么了？难道门外来了个魔鬼吗？"

"不，不是什么魔鬼，而是……而是一只青蛙……"小公主小声回答道。

"青蛙？他是来找你的吗？"

"哦，是的。事情是这样的，爸爸，昨天我在水潭边玩的时候，不小心把金球掉进了水里，正在我伤心地哭泣时，有一只小青蛙从水里游出来，他说只要我答应和他做朋友，他就可以帮我找到金球。我答应了他，而他果然帮我找到了金球。后来，我拿起金球就走掉了，我可不想跟他做什么朋友。谁知，今天他居然找到这儿来了。"

就在这时，小青蛙又在敲门了，并大声地喊道：

　　亲爱的小公主呀，

　　快把门给我开开，

你的爱人在门外，

等着你把门开开。

你该还记得昨天，

老椴树下水潭边，

你亲口许下诺言，

一同吃饭一起玩。

听了小公主和小青蛙的话，国王严肃地说："我可不希望我的女儿做一个言而无信的人，你快去把他请进来。"

小公主没办法，只好走过去把青蛙放了进来。小青蛙见小公主回到了自己的座位上，就连忙跳到她跟前，对她说："可以把我抱到你旁边去吗？"

小公主厌恶极了，坐在那儿不动，但国王命令她照着青蛙说的做。小公主只好皱着眉头，抱起小青蛙放在了自己旁边。小青蛙看了看小公主漂亮的小金碗，于是又大声说道："把你的碗往我这边推一推好吗？不然我够不到。"

小公主真的不想这么做，可当她看到爸爸威严的眼神时，没办法，只好气哼哼地把碗推到小青蛙面前。小青蛙倒是很不客气，津津有味地吃了起来。小公主被他弄得一点儿胃口都没有了。小青蛙吃完饭，把嘴一擦，又对小公主说道："我困了，快把我抱回你的房间吧，我要去你的小床上睡觉。"

听到青蛙这么一说，小公主实在受不了了，想到今晚要跟一只恶心的青蛙睡在一张床上，她就害怕得哭了起来。

小公主以为爸爸会同情她，可谁知国王却严厉地对她说："你必须懂得，那些在你需要帮助的时候向你伸出援手的人，你永远都要尊重他们。"

小公主没办法，只好伸出两根手指，轻轻地夹着小青蛙，把他带回了自己的房间。小公主把青蛙往角落里一放，就独自上床睡觉了。可这时青蛙却跑到床边大叫道："我也要上床睡，你把我抱到床上去。否则，我就叫你爸爸来教训你。"

听了小青蛙的话，小公主气得快要疯掉了。她一把抓起小青蛙，用尽全身力气朝地上摔去。

"你这只可恶的青蛙，现在我让你睡个够！"

可谁知，就在青蛙落地的一刹那，青蛙不见了，取而代之的是一位英俊、和气的王子。王子告诉小公主，他是因为被女巫施了魔法才一直困在水潭里的，而能够把他拯救出来的就只有一个人——小公主。

当晚，小公主和王子在国王的主持下完成了婚礼。第二天，他们就要一起回到王子的国家去了。

第二天一早，一辆由八匹高头大马拉着的马车来到了王宫门前，接王子和王妃回国。这八匹马的头上都戴着白色的羽毛，身上披着金光闪闪的马具，看起来威风凛凛。而驾驭马车的人就是王子的忠实仆人亨利。

自从王子被变成青蛙以后，亨利悲痛欲绝，他必须得时刻在胸前佩戴一个铁箍，才能不至于让心破碎。

亨利把王妃和王子分别扶上马车坐好，然后就赶着马出发了。

刚出发没多久，王子和王妃听到马车前面传来"噼啪"一声脆响，他们以为是马车出现了什么故障。可事情并不是他们想的那样，而是亨利见到王子和王妃后，太开心了，铁箍都被崩开了。

十二兄弟

很久以前，有一个国王，他的王后为他生了十二个王子，可他一直想要一个小公主。就在王后要生第十三个孩子之前，他对王后说："如果这第十三个孩子是个小公主的话，我就把那十二个王子都杀掉，然后把我整个王国都留给我的女儿。"

国王这话可不是在开玩笑，因为他已经命人做了十二副棺材，并在里面放好了刨花和寿枕。他把这些棺材放进一间密室，然后把密室的钥匙交给王后保管，并嘱咐她不要把这件事告诉任何人。

国王的决定让王后悲痛欲绝，因为她是那么爱她的那十二个王子。有一天，经常待在王后身边的最小的王子便雅明问道："妈妈，你这几天怎么看起来那么悲伤呢？"

"哦，宝贝，"王后难过地说，"有些事情我不能告诉你。"

妈妈绝望的样子让便雅明产生了很不好的预感，他开始不停地追问王后。王后没办法，只好带着便雅明偷偷来到那间放棺材的密室，并对他说："我亲爱的儿子啊，你父亲说，如果我这次生下的是一个女儿，他就要把你和你的哥哥们全部杀掉，然后把你们放进这些棺材里埋葬。"

王后说完，就已经泣不成声了。便雅明安慰着母亲说："妈妈，你别难过，我可以和哥哥们一起逃走啊。"

王后点点头，说："只能这样了。你们现在就准备一下，马上躲到森林里去。到了那里之后，你们要找到一棵能看见王宫的大树，并派人每天瞭望。如果我生下的是个男孩，我就在王宫上面升起一面白旗，这样你们就可以放心地回来；如果我生下的是个女孩，那我就在王宫上面升起一面红旗，你们见到后就马上远走高飞吧！亲爱的孩子，我会为你们祈祷的。"

于是，十二位王子就躲到了森林里，并找到一棵高高的橡树，每天都在那上面向王宫的方向瞭望。就在第十二天的时候，刚好轮到便雅明在树上站岗，他看到王宫的上面升起了一面红旗。他顿时意识到，他们逃亡的时刻已经到了。

其他王子得知这个消息后感到十分愤怒，他们说："为什么要由一个女孩来决定我们的生死呢？以后，我们坚决跟女孩势不两立。"

王子们向森林里走去。走了很久之后，他们在森林深处发现了一座小房子。他们并不知道，这座小房子已经被施了魔法。大家在小房子里安顿好后，留下便雅明看家，其余的人都出去找食物了。

王子们打到了很多猎物带回小房子，他们让便雅明做熟后当晚饭吃。就这样，他们在这座小房子里一住就是十年。

再说说王后生下的那位小公主。她已经长大了，既善良又美丽，额头上还长着一颗金色的星星，大家都十分喜爱她。有一天，她在王宫里发现了十二件完全一样的男孩子的衬衫，就跑去问母亲："妈妈，这些衣服是谁的？"

王后悲伤地回答："是你十二个哥哥的。"

"十二个哥哥？可为什么我没见过他们呢？"公主问。

王后流着泪，把事情的经过从头到尾告诉了小公主。小公主听完母亲的话，虽然心里非常难受，但她坚定地说道："妈妈，你别难过了，我一定会把哥哥们都找回来的。"

小公主带上哥哥们的衬衫就向森林出发了。她走了很久，终于来到了那座小房子前面。当她走进去的时候，发现房子里面只有一个男孩。男孩看到这个额头上长着一颗金星的美丽女孩突然出现在这里，感到十分惊讶，于是问道："你是谁呀？怎么到这儿来了？"

"我是公主，我来寻找我的十二个哥哥。不管走多远的路，我也一定要找到他们。"小公主回答道。

那个男孩就是便雅明，当他看到小公主手里拿着的十二件衬衫时，立刻就明白了，站在面前的这个女孩就是自己的妹妹。他开心地说道："我叫便雅明，是你最小的哥哥。"

听便雅明说完后，小公主一下子扑到了哥哥的怀里，两个人紧紧拥抱在一起，流下了高兴的泪水。过了一会儿，便雅明说道："现在有一件很麻烦的事情，当初是因为一个女孩才把我们害得这么悲惨的，所以我们十二个人发过誓，要杀掉我们见过的每一个女孩。"

"这没什么，我愿意为我的哥哥们去死！"小公主说。

"不，我不会让你死的，等哥哥们回来的时候，我来想办法劝说他们。"便雅明说，"你先躲进这个桶里。"

公主听从了便雅明的安排，在桶里躲好了。

傍晚，十一个王子回来了。当他们坐在一起吃饭的时候，一个王子问："今天有什么事情发生吗？"

便雅明回答道："有是有，不过在我告诉你们之前，你们得答应我一件事情，那就是保证不要杀掉你们见过的第一个女孩。"

"我们听你的，快说吧！"哥哥们一齐说道。

便雅明这才把公主来到这里的事情告诉了他的十一个哥哥，并让公主从木桶里走出来。当哥哥们知道了这个头上长着一颗闪亮金星的美丽女孩就是他们的妹妹时，都开心极了，扑上来与她紧紧拥抱在一起。

于是，小公主便留在小房子里跟哥哥们一起生活。白天，在哥哥们出去打猎时，她就和便雅明一起在小房子里烹饪并收拾房间。房间被她布置得漂漂亮亮，哥哥们都满意极了。

有一天，小公主和便雅明做好了一顿丰盛的晚餐，等哥哥们回来后，他们便坐下高兴地吃了起来。这时，小公主突然想起院子里开着的那十二朵美丽的百合花，她就跑出去想要摘下来送给哥哥们。可就在她摘下这十二朵花的时候，她的哥哥们瞬间变成了十二只乌鸦，"呼啦啦"地向远处飞去，而且房子和花园也不见了，只剩下小公主一个人。忽然，一个老太婆出现在小公主的面前，对她说："傻孩子，那十二朵百合花就是你的十二个哥哥，是你让他们变成了乌鸦。"

小公主一听便大哭起来，问道："那我要怎么做才能让他们变回来呢？"

老太婆想了一下说："只有一个办法，但是非常难，那就是在七年当中只要你不说话也不笑，就可以把他们变回来了。但是在这七年中，只要你说出一句话，他们就会立刻死掉。"

小公主坚定地点点头，什么都没说，转身爬上了一棵大树，在上面坐下，开始纺纱。

有一天，一位国王来到森林里打猎，无意中看到了坐在树上纺纱的小公主，立刻就被这个额头上长着金星的美丽女孩所打动。他站在树下问她愿不愿意做他的妻子。小公主见到年轻英俊的国王向自己求婚，平静地点了点头。于是国王就把小公主带回宫中，并举办了盛大的婚礼。虽然小公主不说话也不笑，但两个人生活得十分幸福。

几年过去了，国王有一个坏心肠的母亲，她十分看不惯小公主的行为，于是就背着小公主对国王说："我看你的王后多半是一个女巫，否则谁会这么长时间既不说话也不笑呢。"

国王一开始并不理会母亲的谗言。后来，听母亲说得多了，他就渐渐相信了，于是，他下令把小公主关进了死牢。

十二只乌鸦在小公主身边盘旋

　　这一天，国王站在窗前，流着眼泪看着院子，因为今天王后就要在那里被烧死。其实他心里还是很爱王后的。

　　就在炽烈的火焰即将扑向小公主的身体时，从天上"呼啦啦"地飞来十二只乌鸦，它们一落到地上，立刻就变成了十二位王子。原来，七年之约已满。王子们冲到火堆上面，七手八脚地把小公主救了下来，并和她紧紧地拥抱在一起。

　　小公主终于能讲话了，她将自己的经历原原本本地告诉了国王。国王这才知道这几年里小公主为什么不说话也不笑了。在求得了小公主的原谅之后，他们又重新幸福地生活在了一起。而国王那位坏心眼的母亲，也受到了应有的惩罚。

莴苣姑娘

很久以前，有一对夫妻，他们没有孩子，所以，妻子一直祈求上帝能赐给自己一个孩子。他们房子的窗户正对着一个漂亮的花园，但是花园被高高的围墙围了起来，因为这个花园是属于一个很厉害的女巫的。

有一天，妻子从窗户望出去，无意中看到花园中的一块地里种满了水灵肥美的莴苣，她顿时馋得口水都要流出来了。她知道这块地是属于女巫的，所以无论如何她也甭想吃到那里的哪怕是一片莴苣叶子。此后，她的心情变得很不好，整个人也憔悴了。丈夫看到妻子变成了这个样子，担心地问她："亲爱的，你到底是哪里不舒服了？"

"我想吃那个花园里面的莴苣，如果吃不到的话，我就活不下去了！"妻子回答。

丈夫看到妻子憔悴的样子非常心疼，就决定冒险去给妻子弄一些莴苣来吃。

黄昏时，丈夫偷偷摸摸地翻墙进了花园，他飞快地跑到莴苣地里，拔了一棵莴苣就跑。回到家后，他将那棵莴苣交给了妻子，妻子立刻将它做成沙拉吃掉。可是，妻子并没有因此而停止吃莴苣的欲望。现在，她想一下子吃掉两棵莴苣了。没办法，在第二天黄昏的时候丈夫再一次翻墙进入花园，可在他还什么都没来得及做的时候，就发现那个可怕的女巫已经站到了他的面前。

"你居然敢来偷我的莴苣，不要命了吗？"女巫声嘶力竭地叫道。

"我也是没有办法呀，我的妻子太想吃你花园中的莴苣了，想得都已经生了病。如果她再吃不到的话，就会死掉的。"丈夫难过地说道。

听了他的话，女巫稍微平静了一些，说道："如果事情真像你说的那样，我可以原谅你，而且那些莴苣也可以让你的妻子随便吃。但是，你必须答应我一个条件，你的妻子即将生下一个孩子，你得把那个孩子交给我来照顾。放心，我会把她照顾得很好。"

丈夫见没有别的办法可想，只好答应了下来。

果然没过多久，妻子就生下一个女孩。女巫立刻过来把孩子抱走了，并给孩子取名叫"莴苣"。

莴苣慢慢长大了，她长成了一个非常美丽的女孩。可就在她十二岁那年，狠心的女巫把她关在森林里的一座高塔上面。这座高塔一个门都没有，只在塔顶上开着一扇小窗。每当女巫来看莴苣的时候，她就会站在塔底大声叫道："莴苣，莴苣，快把你的头发放下来！"

　　莴苣姑娘长着一头浓密的金色长发，每当她听到女巫的呼喊时，就会解开编在一起的发辫，然后把头发顺着窗户垂下去。这样，女巫就可以拉着她的秀发爬上来了。

　　就这样又过了两年。有一天，一个王子骑着马走在森林里，他突然被一阵美妙的歌声深深吸引，并随着那歌声来到了高塔下面。这歌正是莴苣姑娘唱的，她在塔顶待得实在太无聊了。王子找了半天，都没找到登上高塔的门，只好悻悻地回宫去了。可那歌声已经深深地印在了他的心里，于是，他每天都会走到那座高塔下面去听。

　　有一天，王子又去高塔下面听莴苣姑娘唱歌，却发现一个女巫正站在高塔底下，并听见她大声地喊道："莴苣，莴苣，快把你的头发放下来！"

　　躲在一旁的王子看到，一头长长的秀发从塔上垂了下来，然后女巫抓住它爬了上去。王子灵机一动，觉得自己也可以照样子试一试。

　　第二天傍晚，王子再次来到塔下，他高声喊道："莴苣，莴苣，快把你的头发放下来！"

　　这时，头发果然从上面垂了下来，王子迅速地爬到了塔顶。

　　莴苣见上来的人不是女巫，吓坏了。但是王子温柔地跟她说着话，告诉她自己是被她的歌声所吸引，才迫切地想要到塔顶来见她的。

王子见到了莴苣姑娘

王子看着莴苣姑娘的眼睛对她说："美丽的女孩，你愿意嫁给我吗？"莴苣见王子温和又英俊，觉得他比母亲对自己还要好，于是就轻声答道："我愿意。可我总得到高塔下面去才行啊。这样吧，以后你每次来的时候都带一根长长的丝线，然后我把那些丝线编成绳梯，缠在窗子上，那样我就可以顺着它爬下去了。"

因为女巫总是白天过来，王子为了避开她，就每天晚上来。所以，女巫一直没有发现他们两个在来往。可是有一天，莴苣在拉女巫上来的时候，无意中说了一句："母亲，你的身体比王子沉了很多呢。"

"天哪，你这个丫头，居然敢背着我做坏事！"女巫勃然大怒。

她冲到莴苣的身边，一把抓住她的发辫，操起剪刀"咔嚓"一声，就把莴苣的一头金发剪了下来。然后她把莴苣扔在了荒野中，任她在那里自生自灭。

当天傍晚，王子又来到塔下，高声喊道："莴苣，莴苣，快把你的头发放下来！"女巫躲在上面听到了，她把头发被剪断的那一端缠在手上，然后把长长的头发垂了下去。王子抓着秀发爬了上来。可他看到的却不是他心爱的莴苣，而是一个丑恶的女巫。

"哈哈，多情的王子来接公主了吗？"女巫大声嘲笑着他，"真遗憾，你那会唱歌的小百灵鸟已经被恶猫给叼走了，你再也见不到她了。并且，恶猫还说要弄瞎你的双眼，让你痛苦一生，哈哈哈……"

王子一下子从高塔上跳了下去

王子一听，顿时绝望地大喊了一声，冲到窗户前就跳下了高塔。他落到了一片灌木丛中，眼睛被刺瞎了。他挣扎着走出灌木丛，向森林里跑去。饿了，他就胡乱地找些植物来吃；渴了，他就喝一点儿溪水。这样辗转过了几年，他居然来到了莴苣住的那片荒野上。

莴苣早已经在这里生下了一对龙凤胎。王子听到附近传来熟悉的声音，就朝着那边走去。莴苣看到心心念念的王子居然来到了自己的身边，激动地跑上前去，扑在了他的怀里。当莴苣纯洁的泪水落在王子紧闭的双眼上时，王子突然睁开了眼睛，他又能看见东西了。

王子带着莴苣和他的一双儿女回到了自己的王国中，从此他们幸福快乐地生活在一起。

森林里的三个小矮人

　　很久以前，有两个小姑娘是朋友，一个小姑娘没有妈妈，一个小姑娘没了爸爸。有一天，那个没有妈妈的小姑娘到那个没有爸爸的小姑娘家去玩，那个小姑娘的妈妈就对她说："回去告诉你爸爸，说我愿意嫁给他。如果我们两个结婚了，我会让你过得像个公主一样，而我自己的女儿只能过得像个民女。"

　　小姑娘回到家，把那个女人说的话对爸爸讲了。爸爸认为很难做出决定，于是脱下一只破了一个洞的靴子交给女儿，让她拿到楼上去挂在一根钉子上，并对她说："你把水灌进这只靴子中，如果没漏水，我就跟那个女人结婚；如果漏水了，我就不会娶她。"

　　小姑娘照着爸爸说的话去做了。靴子被灌满了水，却一滴也没有漏出来。当小姑娘把这个结果告诉爸爸的时候，爸爸就决定要和那个女人结婚。两个人很快举行了婚礼。

　　婚后的第一天，女人对继女好过自己的亲生女儿。第二天，对两个人一视同仁。第三天，女人对亲生女儿好过继女。而且后来对继女越来越坏，她对继女嫉妒得发狂，因为继女长得美丽又可爱，而自己的亲生女儿却又丑又讨厌。

冬天很快就来了，地上的一切都冻得坚硬无比，并且被大雪覆盖了。女人用薄薄的纸做了一件衣服，把继女招呼过来说："现在你穿上这件衣服，马上到森林去，给我采一篮草莓回来。"

"可这怎么可能呢？森林里白雪皑皑，到哪里去找草莓呢？"可怜的继女说道，"况且穿着这件衣服出去，我很快就会被冻僵的。"

"我的命令你敢不听吗？赶快去，如果采不到草莓就不要再回来了。"说完，她又拿起一块又小又硬的面包，塞进继女的手里，"这是你的早饭，快走吧。"女人心想："终于把她赶出去了，这下子不会再有人来烦我了。"

可怜的小姑娘穿上了那件纸衣服，拎着篮子走出了家门。外面冰天雪地，寒风刺骨，别说是草莓了，就是连一片绿叶都找不到。小姑娘走啊走，突然前面出现了一座小房子，小房子里有三个小矮人。她连忙跑过去，敲了敲门，得到允许后，小姑娘走了进去。她进门后的第一件事就是在炉子旁边坐下来，温暖一下冻僵的身体。

小姑娘饿坏了，就掏出那块小面包啃起来。"能给我们吃一点儿吗？"小矮人们说。

"当然可以。"小姑娘说完，就把那块小面包分成两份，把其中的一份递给了小矮人。

小房子里有三个小矮人

"这么冷的天，你还穿得这么少，来这里干什么呢？"小矮人问。

"我继母让我来采一篮草莓，否则就不让我回家。"小姑娘难过地说。

见小姑娘吃完了面包，小矮人给她拿来了一把扫帚，对她说："你帮我们把后门的雪清扫干净吧。"

小姑娘拿着扫帚走了出去。三个小矮人连忙凑在一起说："这个小姑娘真可爱呀，还那么善良，我们应该送她点儿礼物才行。"

第一个小矮人说："我送她的礼物是，让她越来越美丽。"

第二个小矮人说："我送她的礼物是，只要她一张嘴，就能吐出金子来。"

第三个小矮人说："我送她一个国王，那个国王将会娶她做妻子。"

这时候，小姑娘正在小房子的后面认真地清扫地上的积雪呢。等她把雪扫干净以后，发现地面上长出了红彤彤的草莓来。小姑娘乐坏了，连忙采了满满一篮子，然后一鼓作气地跑回了家。她一进门，就大声喊道："我采到草莓了！"这时，一块金子从她嘴里掉了出来。她没顾上管那块金子，原原本本地把今天的遭遇向继母讲述了一遍。她在说话的时候，不断有金子从她嘴里掉出来。等她把话说完，家里已经堆满了金子。

"看她那副讨厌的样子！"继母的女儿尖叫道。她嫉妒小姑娘能碰到这么好的事情，于是也嚷着要去外面采草莓。

可妈妈却阻拦她说："你看外面多冷啊，亲爱的女儿，我怎么舍得让你出去呢。"

见妈妈不让自己去，女儿大发脾气，非要出去不可。妈妈没办法，只好给亲生女儿做了一件又厚实又暖和的皮袄，然后又给她带上一块大大的、香喷喷的黄油面包，这才让女儿出了门。

继母的女儿按照小姑娘说的方向，直接向小房子那里跑去。她很快就来到小房子前面，连门都没敲，直接闯了进去。她走到火炉旁边坐下，拿出面包开始大口吃起来。

"能给我们吃一点儿吗？"小矮人们说。

"当然不行，你们没看到我只有这么小小的一块吗？"继母的女儿拒绝道。

等她把面包吃完，小矮人给她拿来一把扫帚，对她说："你帮我们把后门的雪清扫干净吧。"

"凭什么啊，我才不干呢。"她说。

等了一会儿，看小矮人们并没有给自己礼物的意思，她就气冲冲地走出了小房子。

"这个丫头又懒惰又吝啬，可真讨厌，看来我们也应该送给她点儿什么。"小矮人们凑在一起说。

第一个小矮人说："我送她的东西是，让她越来越丑陋。"

第二个小矮人说："我送她的礼物是，只要她一张嘴，就能蹦出一只癞蛤蟆来。"

第三个小矮人说："我要让她死得很悲惨。"

继母的女儿在外面转了一圈，也没找到草莓，气急败坏地跑回家去了。她一进门，就跟妈妈抱怨起来。可是她每说一句话，就会从她的嘴里蹦出来一只癞蛤蟆，家里人都被吓坏了。

继母听完简直是气急败坏，为什么自己的女儿会有这么悲惨的遭遇呢？她决定要加倍地折磨继女。她找来一团线，放进锅里用水煮了起来。等煮完之后，她就把线捞出来交给继女，让她去河面上凿一个冰洞出来，然后在里面漂洗这团线。小姑娘按照继母的吩咐去做了。

正在小姑娘用斧子凿着被冻得坚硬的河面时，一辆豪华的马车在她身旁停了下来。车里坐着一个国王，他从车里探出头来问道："姑娘，这么冷的天，你在这里干什么呢？"

"我要凿个冰洞，在里面漂洗线团。"小姑娘回答。

国王见这个姑娘如此美丽，不禁怦然心动，就对她说："你愿不愿意跟我回王宫？"

"我愿意。"小姑娘开心地回答，因为她实在不想再见到自己那狠心的继母和她的女儿了。

小姑娘和国王回到王宫，他们很快举行了盛大的婚礼，小姑娘成了王后。他们生活得很幸福，一年以后，王后生下了一个小王子。

继母听说了继女的事情，嫉妒得连饭都吃不下了。她连忙带上自己的女儿到王宫里找继女。

她们来到王宫，说是来探望女儿的。国王见她们进来，就走了出去。这时，继母跟她的女儿扑到了正在休养身体的王后床边，抬起虚弱的王后，把她从窗户扔出去，丢进了下面的大河里。然后，继母让自己的丑女儿躺在了床上，并用被子把她蒙得严严实实的。

当国王走进来，想要看看自己的妻子时，继母连忙阻止他说："不要打扰她了，她的身体太虚弱了，还是让她休息吧。"

国王相信了继母的话，走了出去。第二天早晨，国王又来了，可当他看到妻子每说一句话都要从嘴里蹦出一只癞蛤蟆时，他很纳闷，问这是怎么回事。继母解释说这是因为王后身体还没恢复，慢慢就会好的。

这天夜里，有一只鸭子从王宫的下水道里游了出来，看到旁边站着一个仆人，它便问道："国王睡着了吗？"见仆人没说话，它又问道："来看望我的那两个人在干什么呢？"仆人答道："她们在睡觉。""哦，那我的小王子在哪里？"鸭子问仆人。"他在摇篮里睡觉呢。"仆人又答道。

于是，鸭子一下子变成了王后，她来到摇篮旁边，抱起小王子温柔地给他喂起奶来。等喂完了奶，她把小王子放回小摇篮中，并轻轻地给他盖好了被子。然后，她又变回鸭子，游进下水道里去了。鸭子一连来了两天，在第三天的时候，它对仆人说道："你马上去把国王找来，让他一定要带上宝剑，在我的头顶挥舞三下。"

仆人连忙去找国王了。不一会儿，国王就拎着宝剑跑过来了，他对着鸭子的头顶连续挥舞了三下宝剑，鸭子一下子变回了王后，并且比以前还要健康、还要美丽。王后把自己所遭遇的事情跟国王说了，国王就让王后先躲起来，他要亲自来处理这件事情。

礼拜天到了，这一天是小王子接受洗礼的日子。当洗礼仪式结束后，国王大声地问继母："你能不能告诉我，如果有人把别人扔出窗子，并且丢到大河里去，那么这个人应该受到什么样的惩罚呢？"

继母恶狠狠地回答说："如果让我碰上心肠这么坏的人，我就把他装在一个封得严严实实的木桶里，然后从山坡上把它踢下去，让它一直滚到河里去。"

"你说得很对。"国王说道，"你的确应该受到这样的惩罚。"

国王命令仆人找来了一个又大又结实的木桶，把继母和她的女儿装进了木桶，又用钉子把桶盖钉得严严实实。然后他亲手把木桶推下山坡，一直让它滚进了大河里。

汉赛尔与格莱特

从前，在一座森林的边上住着樵夫一家。他家里一共有四口人：他和他后来的妻子、儿子汉赛尔、女儿格莱特。他们过得非常艰难，穷得连面包都快吃不上了。这天晚上，樵夫翻来覆去地睡不着觉，他难过地对妻子说："我们该怎么办呢？现在根本就养活不了这两个孩子了。"

"我有个主意，"妻子说道，"明天天一亮，咱们就把这两个孩子带到森林深处，给他们生起一堆火，再给他们每人一块面包，告诉他们我们要去干活，然后我们两个就离开那儿。那么远的地方，他们肯定就找不到家了。这样，我们就不用再养活他们了。"

"这怎么行呢？他们可是我的亲生骨肉啊。"樵夫说道，"我不能眼睁睁地看着他们被森林里的野兽吃掉啊。"

"那你怎么不想想以后呢，这样穷下去，我们四个人很快就得一起被饿死……"妻子叨唠了很久来说服樵夫。最后樵夫实在没有办法，只得长叹一声同意了。

而此时，两个孩子并没有睡着，父亲和继母的对话他们全都听见了。格莱特忍不住低声哭了起来，她对哥哥说："完了，他们不要我们了。"

"嘘——"汉赛尔低声说道，"别说话，妹妹，我有办法。"

见父亲和继母都睡熟了，汉赛尔悄悄出了门。他借着皎洁的月色，在房子前面捡了很多白色的小石子，装在口袋里，直到把口袋装得满满的，才回到房间里。他对格莱特说道："睡吧，妹妹，别为明天的事担心，一切都会变好的。"然后，他也上床睡了。

天才蒙蒙亮，继母就大呼小叫地来叫他们起床了："赶快给我起床，两个懒惰的家伙，我们现在要去森林里砍柴了。"说完，她把两块小小的面包塞到他们手里，说："这是你们的午饭，如果提前吃掉的话，你们就等着挨饿吧。我终于要解脱了。"格莱特把两块面包都装到自己的口袋里，因为汉赛尔的口袋里装着石子呢。

很快，他们一家就朝森林深处进发了。汉赛尔每走上一阵便要回头看看他们家的房子，父亲很快就注意到了他的举动，对他说道："好好走路，汉赛尔，不要总回头看。"

"爸爸，我的小白猫正站在屋顶上跟我告别呢，"汉赛尔说，"我也很想和它说'再见'。"

"那根本就不是你的猫，笨蛋，那是太阳照在烟囱上反射出来的白光。"继母大声说道。其实，汉赛尔也不是在看什么猫，他不过是从口袋里不断地掏出小石子扔在走过的路上。

走了很久，他们来到了森林深处。樵夫说："去拾些干柴来吧，孩子们，我得给你们生一堆火。"

汉赛尔和格莱特听话地拾来了很多干柴。樵夫帮他们生起了一堆大大的火。这时，继母说道："你们两个给我好好地待在这儿，不要到处乱跑。我和你们的父亲现在要去砍柴，等会儿回来接你们。"

汉赛尔和格莱特就在火堆旁坐了下来，不一会儿，远处便传来了斧子砍树的"砰砰"声。到了中午，汉赛尔和格莱特把他们的面包吃掉了，可砍树的声音还是没有停。他们哪里知道，那根本就不是斧头发出的声音，而是两根树干被风吹动时发出的撞击声。由于坐得太久了，两个孩子感到十分困倦，他们渐渐地在火堆旁睡着了。等他们醒来的时候，发现天已经黑透了，格莱特被这个漆黑的森林吓得大哭起来："完了，我们不记得来时的路了。"

"别哭，妹妹！"汉赛尔安慰着格莱特，"一会儿月亮升起来时，我们就能找到路了。"

就像汉赛尔说的那样，不一会儿，一轮明月升上了天空。汉赛尔拉起格莱特的手，顺着那些闪闪发光的白色小石子朝着家的方向走去。他们走了整整一夜，在天刚破晓的时候，才回到他们住的小房子。汉赛尔敲敲门，来开门的是继母。看到孩子们回来了，她装作很生气的样子说："你们也太贪玩了，怎么这么晚才回来？"

见孩子们自己回来了，樵夫喜出望外，因为抛弃这两个孩子之后，他一直在深深地自责。

一家人又在一起生活了一段日子。一天晚上，妻子又对樵夫说道："现在我们只剩下一块面包了，还是把两个孩子送走吧，不然咱们全都得饿死。这次得把他们领到更远的地方丢掉，就不用担心他们自己再找回来了。"

听见妻子说要再一次抛弃自己的孩子时，樵夫心里非常不舍。但禁不住妻子一遍又一遍地重复那些话，樵夫只得又艰难地点点头，同意了。

汉赛尔和格莱特这次又听见了父母的对话。汉赛尔溜下床，想到外面去捡些石子来。可不幸的是，继母已经把门锁上了。汉赛尔认真想了一下，然后来到妹妹的小床前，对她说："睡吧，妹妹，别为明天的事担心，一切都会变好的。"

第二天天一亮，继母就把他们从床上拎了起来，然后又塞给他们每人一小块面包——比上次的还要小。

在往森林深处走的时候，汉赛尔把他自己的那块面包搓碎了，然后一路走一路撒下了一些面包屑。

"汉赛尔，快跟上啊，你怎么总是落在后面呢？"樵夫回过头问道。

"我在看我的小鸽子，它正站在我们家的房顶上跟我告别呢。"汉赛尔回答。

"真蠢，那根本不是什么鸽子，是太阳照在烟囱上反射出来的白光。"继母说道。

他们走了很久，终于来到了一片比上次更远的森林中。樵夫照例给他们生起了一堆火，继母对他们说："像上次一样，你们就待在这儿别动，困了就睡觉，等我们砍完柴回来接你们。"说完，她和樵夫就走掉了。

到了中午，格莱特把自己的那块面包跟哥哥分着吃了，因为汉赛尔的面包已经被搓成面包屑撒在了路上。接着，两个困倦的孩子又睡着了。等他们醒来时，天已经彻底黑了。汉赛尔信心满满地对格莱特说道："别着急，妹妹。等一会儿月亮升起来的时候，我们就能顺着那些面包屑回家了。"

可是，这次汉赛尔想错了。当月亮升起来的时候，他们发现撒在路上的面包屑已经完全不见了。原来，它们早已经成为森林里那些小鸟的腹中餐了。

汉赛尔心里也很着急，但他并没有表现出来，因为他还要安慰妹妹呢。

他们在森林里转来转去，整整走了一天一夜也没有找到回家的路，除了在森林里找到一些草莓来充饥，就再没吃过别的东西了。他们又累又饿，瘫倒在一棵树下，睡着了。

等他们醒来的时候，已经是他们在森林里的第三个早晨了。此时，他们已经彻底迷了路，如果没有人帮助他们的话，他们很快就会死去。就在这时，一只浑身雪白的漂亮小鸟站在一根树枝上唱起了婉转的歌，兄妹俩被歌声迷住，一动不动地站在那里听着。等小鸟唱完了歌，就飞到兄妹俩面前，示意他们跟上自己，然后转身朝前飞去。兄妹俩紧紧地跟上了那只小鸟，很快，就被它带到了一座小房子前面。这座小房子真诱人哪，因为它的墙壁是用香喷喷的面包做成的，房顶是甜甜的奶油蛋糕，窗玻璃是透明的糖块。

"太好了，这座小房子可以让我们大吃一顿了。"汉赛尔说道，"我要先吃一块房顶，妹妹，你吃块玻璃吧，它们看起来很香甜。"

说完，汉赛尔就爬到房顶上去吃蛋糕了，而格莱特呢，则用舌头舔起了甜甜的窗户来。就在这时，屋子里突然传来了一个声音："吃呀吃呀吃呀吃，谁在吃我的小房子？"

汉赛尔和格莱特并没有停下来，他们边吃边回答说："是两个天堂里的小娃娃。"

汉赛尔觉得房顶的味道非常好，就掰下一大块大口地吃起来；格莱特也抠下了一块玻璃窗，专心地坐在草地上吃。可这时小房子的门开了，从里面走出来一个挂着拐棍的老婆婆。汉赛尔和格莱特都吓坏了，手里的食物也掉到了地上。

那个老婆婆声音颤抖地问道："亲爱的孩子们，你们是怎么来到这儿的啊？哦，不用害怕，来，我们进屋说。"

说完，老婆婆就拉着两个孩子的手，走进了小屋里。她让两个孩子坐下，然后拿出了牛奶、糖饼、苹果和坚果来招待他们。等两个孩子吃完了，老婆婆就把他们带到了两张铺着白色

床单的小床上。两个孩子在床上躺下来，觉得自己幸福得就像
是在天堂里一般。

一个老婆婆打开了门

但这个和善的老婆婆实际上是一个坏巫婆伪装的。她躲在这个小房子里，用房子的外表来引诱一些孩子靠近这里，然后再将他们捉住，煮熟了吃掉。巫婆的眼睛不怎么好，但她的嗅觉可是好得不得了，在很远的地方就能闻到人的味道。刚刚两个孩子在外面吃她房子的时候，可着实让她狂喜了一阵，她想："这送上门来的美味，我可不能错过啊。"

第二天天亮的时候，兄妹俩还没醒，老巫婆就走到床前，看着两张红扑扑的小脸，她的口水都要流出来了，心想："这下我可有口福了。"她把汉赛尔扛到肩上，然后走到马厩的门口，把他丢了进去，再把门锁上。汉赛尔在她身后大叫起来，可她并没有理会。她来到格莱特的床前，用力把她推醒，大声说道："快起来，小懒猫，快去弄点儿好吃的给你哥哥送去。我得把他养得胖一点儿，那样才好吃。"

格莱特吓得大哭起来。她不敢违抗老巫婆的命令，只好每天做很多很多好吃的给汉赛尔送到马厩去，可她自己只能啃一些干巴巴的蟹壳。每天天一亮，老巫婆就会迫不及待地来到马厩门口，冲里面喊道："汉赛尔，把你的手指头伸出来，让我看看胖没胖。"其实，老巫婆的眼睛几乎什么也看不见，只能靠手摸。每次汉赛尔伸出来的根本就不是自己的手指，而是他啃过的一根小骨头。老太婆一摸到这块小骨头，就会忍不住说道："怎么还这么瘦呢？"

四个星期过去了，老巫婆见汉赛尔还是那么瘦巴巴的，决定不再等下去了。"格莱特，快去打些水来，不管是胖是瘦，我明天都要把汉赛尔吃掉。"老巫婆冲着格莱特大喊道。

格莱特听了老巫婆的话，害怕得大哭起来。她装作去打水的样子，趁老巫婆不注意溜到了马厩门口，对汉赛尔说道："哥哥，我们得想办法赶紧逃掉，老巫婆明天就要把你吃掉了。"

汉赛尔说："别害怕，妹妹，我有办法逃掉。我已经把门锁弄开了，现在你去把老巫婆的魔杖和她房间里的笛子偷出来，这样就算她到时候追到我们，也拿我们没办法。"

不一会儿，格莱特就把老巫婆的魔杖和笛子偷了出来。于是，两个孩子逃走了。

馋嘴的老巫婆不放心，出来看看她的美味煮得怎么样，却发现那兄妹俩已经不见了。尽管眼神不怎么好，她还是能看到两个孩子逃跑的身影。

老巫婆气坏了，连忙穿上一双能让人快跑的魔靴，朝着两个孩子逃跑的方向追去。眼看着老巫婆就要追上来了，格莱特用魔杖一点，就把汉赛尔变成了一个湖泊横在了老巫婆的前面。她又把自己变成一只天鹅，远远地在湖心游着。老巫婆用面包屑来引诱那只天鹅靠近自己，可格莱特才不会上这个当呢。老巫婆只好垂头丧气地回去了。

看到老巫婆已经走远，格莱特就把自己和哥哥变回了原来的模样，继续向前跑去。可就在傍晚的时候，老巫婆又追来了。

格莱特立刻把自己变成了荆棘丛中的一朵玫瑰花，而汉赛尔则变成了一个吹笛人坐在荆棘丛的旁边。

"善良的吹笛人啊，我能把那朵玫瑰花摘下来吗？"老巫婆问道。

"当然，你摘吧。"汉赛尔说道。

老巫婆很清楚那朵玫瑰花就是格莱特变的，所以听了汉赛尔的话后她高兴极了，连忙冲着玫瑰花伸出手去。就在这时，汉赛尔吹起了笛子。

这是一支魔笛，无论谁听到它的声音后都会不由自主地跳起舞来。老巫婆也不例外，她伴着笛声开始不停地旋转，而且越转越快。很快，她的衣服就跟那些荆棘绞在了一起，荆棘上的刺深深地扎进了她的皮肤里。

格莱特又变回了自己原来的样子，和汉赛尔一起朝着家的方向走去。他们走了很远很远的路，累得筋疲力尽。他们看到旁边有一棵空心大树，于是连忙走过去，把魔杖立在树下，爬到树洞里面睡着了。这时，从荆棘中挣脱出来的老巫婆又追来了，她一眼就看到了自己的魔杖，不禁心中大喜，于是马上冲过去把它抓在手里，并把汉赛尔变成了一只小鹿。

格莱特被惊醒了，她看到哥哥被变成一只小鹿，就扑到他身上伤心地大哭起来。而眼泪也从小鹿的眼睛里扑簌簌地往下落。

格莱特对小鹿说道："哥哥，我会一直和你在一起的。"说完，她拔了一些灯芯草来，把它们编成了一根柔软的草绳。然后，她把这根绳子的一端绕在了小鹿的脖子上，另一端牵在自己手里，这样，不论她走到哪儿，小鹿都会跟在她身边了。

有一天，他们在森林里找到一座小房子，格莱特看房子里没有人居住，就决定跟小鹿在这里住下来。

格莱特给小鹿用干草铺了一个又舒适又柔软的床铺。每天早晨，格莱特会到森林里找一些坚果和浆果来充饥，然后再采一些青草和嫩树叶回来喂小鹿。晚上，格莱特会依偎着小鹿一起甜甜地睡上一觉。

几年过去了，格莱特长成了一位美丽的少女。这天，国王到森林里来打猎，小鹿听到猎手们高亢的号角声，说什么也待不住了。他恳求道："妹妹，我要到森林里去，那里才是属于我的地方。"格莱特被小鹿磨得烦了，就答应放他出去。

"不过，天黑的时候你必须回来。"格莱特嘱咐小鹿说，"到时候你只要敲敲门说'妹妹，我回来了'，我就会打开门让你进来的，记住了吗？"

小鹿一边答应着一边欢快地跑了出去。国王和猎手们发现了这只美丽的小鹿，非常想捉住他。可是无论他们怎么追，就是追不到。

天黑的时候，小鹿跑回了小房子，他敲敲门说："妹妹，我回来了。"然后，格莱特把门打开，让他进来。

第二天一早，听到号角声的小鹿又坐不住了，他又哀求格莱特放他出去。格莱特没办法，只好把门打开了。

　　猎手们看到小鹿，又开始了对他的抓捕，最后包围圈越缩越小，小鹿几乎已经逃不出去了。而且，其中一个猎手还射伤了他的脚。可就在这时，小鹿跳出了一丛灌木，朝着一座小房子拼命地跑了过去。他在门上"笃笃笃"地敲了几下，并大声喊道："妹妹，我回来了。"门一下子打开了，小鹿走了进去。猎手们将这一切看得一清二楚，他们连忙跑回去向国王汇报。国王沉吟了一下，决定第二天亲自参加抓捕小鹿的行动。

　　格莱特看到小鹿受伤了，心疼地给他敷上草药。到了第二天早上，小鹿的伤奇迹般地复原了。听到打猎的号角声，小鹿又一跃而起，他已经迫不及待地要到森林里去了。小鹿对格莱特说，只要放他到森林里去，他保证一定不会让猎人抓住。

　　格莱特说："我有预感，如果你今天出去的话，他们一定会杀掉你的。""可是，把我关在房子里，我也会被闷死的。"小鹿反驳道。没办法，格莱特只好心情沉重地把小鹿放到森林里去。

　　国王吩咐猎手们说："你们在抓小鹿的时候，千万不要伤害他。"可是，他们追了小鹿整整一天，也没有抓住他。国王只好对猎手们说："这样吧，现在你们把我带到小房子那里去。"

　　国王来到小房子的门前，敲了敲门，说道："妹妹，我回来了。"说完，门就打开了。国王突然觉得眼前一亮，在他的面前竟然出现了一位绝顶美丽的少女。

　　格莱特一见进来的不是小鹿，而是一个戴着皇冠的陌生青年，她吓坏了。可是，国王温和地拉着她的手说道："美丽的姑娘，你愿意和我一起回王宫去，做我的妻子吗？"

"我可以答应跟你一起回王宫，但是我不能做你的妻子，因为我每天都要和我的小鹿待在一起。"格莱特回答道。

"好的，我答应你，你可以带着你的小鹿一起去王宫，我会让人好好照顾他的。"国王说。

就在这时，小鹿回来了。格莱特连忙把草绳套在了他的脖子上，牵着他跟国王走出了小房子。

国王把格莱特抱上马车，自己也坐了上去，然后他们就出发了。小鹿紧紧地跟在马车的后面，欢快地小跑着。在路上，格莱特把自己的经历全都告诉了国王。国王一听，十分气愤，连忙叫人去把那个女巫抓来，并命令她把小鹿变回人形。于是，小鹿又恢复成了汉赛尔的样子。

格莱特看见哥哥变了回来，非常感激国王为她所做的一切，就答应嫁给他做妻子。于是他们在王宫里举办了盛大的婚礼，从此幸福地生活在了一起。而汉赛尔也在王宫做了一名出色的大臣，辅佐国王治理国家。

勇敢的小裁缝

这是夏天里一个阳光灿烂的早晨，有一个小裁缝正坐在窗前努力地工作。就在这时，街上传来了一阵吆喝声："快来买果酱啊，好吃又不贵。"

这清脆的声音听着让人很舒服，小裁缝就从窗户里探出头去，看到一位提着篮子的农妇正在沿街叫卖，于是他大声说："太太，到这边来，我想买您的东西。"

卖果酱的农妇听了，就拎着篮子兴冲冲地跑了过来。小裁缝让她把篮子放到台阶上，然后把那些装果酱的瓶子一一打开。他认真地看着，然后又逐个闻了一遍，这才说道："太太，给我称 4 盎司 ① 吧。"

农妇还以为小裁缝是个大主顾呢，结果白高兴了一场。她气呼呼地把小裁缝要的那一丁点儿果酱塞给了他，转身就走了。

"太棒了，"小裁缝兴奋地说道，"有了这些果酱，我一定会胃口大开的。"

---

① 盎司：英美重量单位，1 盎司等于 28.3495 克。

小裁缝取出面包，切了一片，然后把果酱细细地涂在上面，闻了一下说道："味道很不错，一定非常好吃，我敢保证。不过，我得先把那件背心做完再说。"

说完，小裁缝把面包放在了一旁，拿起背心继续缝了起来。可是，那边有美味的果酱面包正在召唤自己，他的针脚变得越来越大了。这时，一群苍蝇循着香味飞了过来，纷纷落在了面包上面。

"坏家伙，这面包可不是你们的！"他边说边用手轰赶着苍蝇。可找到了这么美味的食物，苍蝇们怎肯放弃呢？它们牢牢地吸在上面不动，而且，又有更多的苍蝇朝这里聚集过来。小裁缝气急了，抓起旁边的毛巾，使劲儿地朝那些苍蝇抽过去。于是，有七只苍蝇立刻丧了命。

"天哪，这可太了不起了！"小裁缝惊叫道，他十分佩服自己的壮举，"刚刚发生的事应该让全城的人都知道才行。"于是，小裁缝连忙用布给自己裁了一条腰带，然后认真地在上面绣了八个大字"一下子打死了七个"。

"哦，不，不光是全城的人，"小裁缝一拍脑袋大声叫道，"全世界的人都应该知道。"小裁缝的心脏已经激动得快要跳出来了，他就像一只活蹦乱跳的小兔子。

小裁缝把腰带系到了腰上，左看右看，觉得自己十分威武。他认为自己如果再在这个小裁缝店里待下去就太屈才了，他应该立刻出去闯世界。说走就走，他在店里搜寻了一番，然后把一块干酪揣进口袋里就出发了。在门口，他看到了一只被荆棘困住的小鸟，就把它解救出来装在了口袋里。

小裁缝趾高气扬地出发了。因为个子很矮，所以他走起路来很轻快，没过多久，就爬上了一座大山。这时，他发现一个巨人正坐在山顶上左顾右盼。他仗着胆子走了过去，对巨人说："嗨，巨人先生，你好吗？看样子你好像不知道自己要去哪里。刚巧我正要出去闯世界呢，有没有兴趣和我一起啊？"

巨人斜着眼睛轻蔑地看着小裁缝，冷笑道："就凭你还要去闯世界？别逗了，小臭虫。"

"你怎么敢看不起我？好吧，那是因为你还不知道我的厉害。"小裁缝愤愤地说，然后露出了自己的腰带，"现在，就请你来念一下这上面的字。"

巨人疑惑地念道："一下子打死了七个。"念完之后，巨人想："能一下子打死七个人的人还真是不能小看呢，这样吧，我来试试他的本事到底是真是假。"想到这儿，巨人抓起地上的一块大石头，使劲儿一攥，石头立刻就滴出水来。"看到了吧？"巨人得意地说，"那么，现在能展示一下你的力气吗？"

"这算什么！"小裁缝轻松地说，"对我来说易如反掌。"说完，他从口袋里掏出了那块干酪，轻轻一捏，干酪就滴出了乳汁。

巨人暗暗吃了一惊，不过，他还是有些怀疑。于是，他又捡起一块更大的石头来，用力地朝空中扔去。石头飞得高高的，几乎都看不见了。"怎么样？"巨人说，"你再试一下这个吧，小家伙。"

"嗯，看来确实扔得挺高，不过，它早晚不还是要掉回到地面上来吗？"小裁缝摇摇头说道，"我也来扔一个吧，而且保证让它永远也掉不下来。"

说完，小裁缝从口袋里掏出了那只小鸟，向天空抛去。小鸟再次获得自由，它高兴极了，拼命地朝天上飞去，不一会儿便不见了踪影。小裁缝斜着眼睛看着巨人，说道："看清楚了吗，还不错吧？"

"你的手劲儿还可以。"巨人点点头说，"不过，我还想看看你能不能扛得动重重的东西。"

巨人把小裁缝带到了一棵倒在地上的粗壮橡树旁，对他说："你能跟我一起抬动这棵大树吗？"

"没问题呀！"小裁缝回答说，"树干好抬一些，你就抬树干；至于这最难抬的树枝，就交给我吧。"

巨人扛起了树干，而小裁缝则轻松地攀上树枝，并坐在了上面。他轻松地对前面的巨人说道："可以出发了。"于是，巨人扛着大树和小裁缝吃力地向前走去。

小裁缝坐在树枝上一颠一颠地很是惬意，他得意地大声唱起了《三个裁缝出城去》这首歌。

巨人走了一段路，累得气喘吁吁，他嚷嚷着再也扛不动了，必须马上把大树放下来。

"你的手劲儿还可以。"巨人点点头说

小裁缝从树枝上跳了下来，摆出一个抬树的姿势，数落道："你这么大的块头怎么就这么一点点力气啊？"

放下大树后，他们继续朝前走去。很快，他们来到了一棵樱桃树前，树上结满了又大又红的樱桃，巨人拉下一根树枝递给小裁缝，让他自己摘樱桃吃，可就凭小裁缝那点儿力气哪能抓住树枝呢。巨人一松手，小裁缝就被树枝弹了起来。

小裁缝身体很灵活，他在空中翻了一个身就轻松地落在了地上。"你怎么连树枝都抓不住呢？"巨人奇怪地问道。

"刚刚我是故意松手的，"小裁缝解释道，"因为我看到树林里有个猎人正在瞄准我，所以才跳向了空中躲避他。你以为跳过树梢是件很轻松的事情吗？你倒是来跳跳看啊。"

巨人也用力地跳了一下，可他不但没跳过树梢，反倒被挂在了树枝上。这下子，小裁缝又占了上风。

巨人对他说："你真的很了不起，我想请你到我的山洞去做客。"

小裁缝跟着巨人来到了山洞，这里面还住着其他巨人，他们正在像吃面包一样吃着烤羊。巨人来到一张床旁边，对小裁缝说："今晚你就睡在这里。"这张床对小裁缝来说可实在是太大了。小裁缝并没有睡到床中间去，而是躺在了一个角落里。半夜的时候，巨人认为小裁缝一定睡熟了，就拿起一根铁钉，对准床中间用力扎了下去，他认为小裁缝这下必死无疑了。

第二天天一亮，巨人们就起床了，他们走出了山洞。小裁缝也起来了，他睡得很好，特别有精神，不一会儿就赶上了巨人们。巨人们发现小裁缝就在身后，以为他是来报仇的，一个个吓得不得了，大叫着四散逃命去了。小裁缝没理他们，继续朝前走去。

走了很久的路，小裁缝终于来到了一座王宫前面。他真是累坏了，躺在王宫的院子里就睡着了。这时，走过来不少人围在小裁缝身旁，看到了他腰带上绣的字"一下子打死了七个"。

"这个人可真是太了不起了。"大家纷纷议论着。然后，他们就去向国王禀报了，说一旦战争爆发，这个人肯定会派上大用场的。

国王觉得这个主意很不错，于是就派了一位大臣守在小裁缝身边。小裁缝美美地睡了一觉，就在他伸懒腰的时候，发现了站在一旁的大臣。大臣向小裁缝转述了国王想让他为军队效力的请求，小裁缝点点头说道："很好，我愿意效劳。"

小裁缝受到了十分隆重的接待，国王还为他安排了一处很华丽的住所。其他的军官对小裁缝嫉妒得眼睛都快冒出火来。"可是，我们根本不可能把他给赶走。"他们私下里议论道，"他一个人就能打死七个，我们怎么可能是他的对手呢。"

最后，大家拿出了一致的意见，就是去向国王辞职。"我们无能，没有资格跟一个能一下子打死七个人的人一起共事。"他们说道。

看到自己的爱将都要离开，国王心里很不是滋味。他突然很想把小裁缝给赶走，可他又没有这个胆量，因为小裁缝能一下子打死七个人，这对自己的威胁太大了。思来想去，国王想出了一个主意来，于是他派人去向小裁缝转达自己的安排。

原来，在这个国家里住着两个无恶不作的巨人，却始终没有人敢去制服他们。国王希望小裁缝带着一百个武士去杀死那两个巨人。如果大功告成的话，他许诺将自己的女儿嫁给小裁缝做妻子，并把王国的一半都送给他作为奖励。

小裁缝觉得这是一个千载难逢的好机会，于是他应承道："好吧，我马上就去收拾那两个巨人。一百名武士就免了，我既然能一下子打死七个，区区两个人自然不在话下。"

小裁缝向森林里进发了，那一百个武士跟在他的后面。他转身对那些武士说道："你们在这里等着，等我需要你们的时候，我会叫你们。"说完，他就一个人走进了森林。很快，他在一棵大树下面发现了那两个巨人。他俩正在睡觉，巨大的鼾声震得大树都跟着在摇动。

小裁缝捡了很多石头装在口袋里，然后他开始爬巨人头顶的那棵大树。很快他就坐在了一根树杈上面，然后拿出几块石头朝其中一个巨人的头上砸下去。那个巨人被砸醒了，他翻身坐了起来，用力地推着另一个巨人问道："喂，我说，你干吗用石头打我？"

"你一定是在做梦，我刚才动都没动一下。"那个巨人回答。

两个巨人又重新躺下睡着了。这一次，小裁缝又拿石头朝另一个巨人的头上砸下去。

"你干吗拿石头打我啊？"这个巨人大声嚷道。

"胡说，我没打你。"第一个被砸的巨人反驳道。

两个人吵了起来，不过，他们很快就困倦得要睡了，又都躺下去睡着了。这时小裁缝挑了一块最大的石头，朝着第一个被砸的那个巨人又砸了下去。

"你太过分了。"被砸的巨人霍地站起身来，揪住另一个巨人就打。那个巨人也不甘示弱，拔起身边的大树就朝对方扔过去。两个巨人互不相让，很快就扭打在一起。他们两个都被气得失去了理智，所以下手都很重。很快，两人就两败俱伤，倒地身亡了。

小裁缝从树上跳了下来，在每个巨人的胸口上都插上一把剑。然后，他来到森林边上找到那些武士，对他们说："这场仗打得太激烈了，那两个巨人剧烈地反抗，甚至拔起大树来抵挡，不过到底还是被我给解决了。要知道，我可是一下子能打死七个的勇士啊。"

武士们连忙跑进森林一看，场面果然像小裁缝讲述的那样，他们不由得对小裁缝佩服得五体投地。

小裁缝回到王宫中，向国王索要他应得的奖励，可是国王却反悔了，他正考虑着怎样把小裁缝给打发走。

"奖励是一定会给你的，不过不是现在，而是在你捉住那片森林里一头害人的独角兽之后。"国王说道。

"既然两个巨人都能被我打死，那么一头独角兽就更没什么可怕的了！"小裁缝大声说道。

小裁缝带着一条绳索和一把斧头出发了。他照例把武士们留在森林边上，自己一个人走了进去。可他还没走出多远，就看到那只独角兽朝自己猛冲过来。

他看到背后有一棵大树，于是就站在那里没动，等独角兽马上就要撞上自己身体的一刹那，他连忙闪在了一旁。独角兽没刹住，一头就撞在了大树上，头上那根尖角深深地扎进了树干里，怎么都拔不出来。

"哈哈，没想到这样就能逮到你。"小裁缝拿出绳子拴在独角兽的脖子上，然后用斧头劈开树干，把它的角释放了出来。接着，他就牵上独角兽回王宫去了。

国王仍旧没有兑现自己的诺言，他这次让小裁缝去捉一头作恶多端的野猪。

"没问题，我根本没把小小的野猪放在眼里。"小裁缝答应道。

野猪看见小裁缝向它走来，拼命地撞过去，想一头把他撞倒在地。可小裁缝却从旁边一扇开着的窗户跳进一座小房子里。野猪见状也连忙跳了进去，可小裁缝已经开门跑出去，并把门锁上了。等野猪想要从窗户原路返回的时候，发现窗户也被小裁缝关上了。野猪就这样被小裁缝抓住了。

小裁缝昂首挺胸地来到国王面前，告诉国王如果再不兑现诺言，就别怪他不客气了。

国王只好给小裁缝和公主举办了婚礼，并且让小裁缝也当上了国王。

有一天夜里，王后听到丈夫在说梦话："徒弟，你还不快点儿把这件背心缝好，然后再给那条裤子打上补丁，难道想让我用尺子敲你的脑袋吗？"她这才明白丈夫原来是做什么的。

第二天一大早，王后就哭着去找国王，埋怨他为什么要把她嫁给一个卑贱的穷裁缝。国王安慰她说："女儿别哭，我有办法。今天晚上，等到小裁缝睡着了，你悄悄地把卧房的门打开，让把守在门外的卫兵进去。他们会用绳子捆住他，然后把他放到一艘船上，让他顺水漂走。"

成为国王以后，小裁缝身边有一个对他非常忠心的仆人，他无意中听到了王后和她父亲的对话，就把他们的阴谋告诉了小裁缝。

当天夜里，小裁缝像平时一样上床睡觉了。不一会儿，王后以为他睡着了，就悄悄地起来把房门打开。几个守在门口的卫兵蹑手蹑脚地走了进来。可这时，小裁缝又说起了梦话："徒弟，你还不快点儿把这件背心缝好，然后再给那条裤子打上补丁，难道想让我用尺子敲你的脑袋吗？我一个人打死了七个，还打死了两个巨人，活捉了独角兽和野猪，就算房间里进来几个人那也是来送死的。"

本来已经掏出绳子的几个卫兵一听，顿时吓得魂不附体。他们扔下绳子连滚带爬地跑了出去。从那以后，再也没有人敢打小裁缝的主意了，他安安稳稳地做着他的国王，做了很久很久。

灰 姑 娘

很久以前，有一个富有的商人，他的妻子得了重病，妻子在临死前，把年幼的女儿叫到了跟前，对她说："亲爱的女儿，记住，妈妈的灵魂会一直守护你的。"说完，她就去世了。

商人把妻子葬在了花园中，悲伤的女孩每天都要到母亲的坟上哭泣。转眼，一个冬天过去了，当春天来临的时候，商人又娶了一个妻子回来。

新嫁过来的妻子还带着自己的两个女儿，她们长得倒是挺漂亮的，不过她们的心肠却比蛇蝎还要狠毒。从她们进门的那一刻开始，这个小女孩就再也没有好日子过了。她们横竖看她都不顺眼，继母对她说道："家里不可能容留一个吃闲饭的人，如果你要想吃饱穿暖，就得靠自己的劳动去换取，赶紧滚到厨房去干活，以后没事别从那儿出来。"说完，她们就扒下她身上漂亮的裙子，然后把一件灰溜溜的旧裙子丢给她，把她赶到厨房去了。从这天开始，小女孩就里里外外地忙碌了起来。每天天一亮，她就要起来提水、煮饭，还要洗衣服、打扫房间——总有无穷无尽的家务等着她。到了晚上，她连张床都没有，只能睡在灰堆里。于是，她的头上、脸上和衣服上到处都沾满了灰尘，她们干脆就叫她灰姑娘了。

有一次，商人要到城里去办事，他问妻子的两个女儿要什么礼物。

一个女儿说："我要漂亮的裙子。"

另一个女儿说："我要名贵的钻石。"

两个姐姐很讨厌灰姑娘

商人又去问自己的女儿："亲爱的，你想让爸爸帮你买什么呢？"

灰姑娘说："哦，爸爸，我只想要挂住你帽子的那根树枝，你就把它折回来给我吧。"

当父亲从城里回来的时候，他给妻子的两个女儿带回了漂亮裙子和名贵钻石。当他在回来的路上穿过一片榛树林时，一根榛树枝挂住了他的帽子，他就把这根树枝折下带回来给了他的亲生女儿。灰姑娘拿着这根榛树枝来到母亲的坟墓旁，把它栽到了土里。她每天都会来坟前看望母亲三次，每次都忍不住失声痛哭。她哭泣的时候，泪水滴落在榛树枝上，树枝得到浇灌一天天长大，渐渐长成了一棵大树。有一只小鸟把家搬到了榛树上，它和灰姑娘成了好朋友，不管灰姑娘有什么需求，小鸟都会满足她。

这个国家的王子到了结婚的年纪，为了给他选择一个合适的妻子，国王将举行一个为期三天的盛大舞会，许多漂亮的姑娘都收到了邀请。灰姑娘的两个姐姐也在受邀之列。

姐姐们把灰姑娘叫了过来，吩咐道："你现在负责帮我们梳头、擦鞋子、系腰带，因为我们马上要去参加舞会。"

灰姑娘按照她们的要求帮她们打扮完毕，看到姐姐们漂亮又华丽的装束，灰姑娘也想去参加舞会。她恳求她的继母让她和姐姐们一起去，可是继母撇撇嘴说道："参加舞会？我没听错吧？你也不看看自己是一副什么德行，况且你又没有漂亮的舞裙，怎么去参加呀？老老实实干你的活吧。"

可是灰姑娘还是苦苦地哀求她，她被磨得受不了了，就说道："这样吧，我将一盘豆子倒在灰堆里，如果你在两个小时之内把这些豆子一个不落地都挑出来，我就让你去。"说完，她就扬长而去，她觉得这个任务根本不可能完成。

灰姑娘想了想，跑到花园里大声喊道：

> 天空飞翔的鸽子和斑鸠啊，
> 请飞到这里来，快点儿来啊！
> 唱着歌儿的鸟雀朋友们啊，
> 请飞到这里来，快点儿来啊！
> 大家一起来厨房里帮忙啊，
> 帮我把豆子从灰堆里挑出来！

很快就有两只白鸽飞到厨房里，接着是两只斑鸠，再后面是一大群叽叽喳喳的小鸟。它们一进来就开始在灰堆里找起豆子来，找到一颗就用嘴巴啄到盘子里。就这样，仅仅用了一个小时，豆子全部被挑了出来。灰姑娘向小鸟们诚挚地道谢，小鸟们点点头纷纷飞走了。

灰姑娘兴冲冲地把一盘豆子端到继母的面前，本以为这下可以去参加舞会了，可继母却说："你怎么去呀？你既没有舞裙，又不会跳舞，你去了能干什么呀？"

灰姑娘又开始苦苦地哀求继母，继母阴险地一笑，说道："如果你能把两盘豆子用一个小时的时间从灰堆里挑出来，我就让你去。"说完，她就把两盘豆子倒进了灰堆中，然后扬长而去。

灰姑娘只好又跑到了花园中喊道：

> 天空飞翔的鸽子和斑鸠啊，
> 请飞到这里来，快点儿来啊！
> 唱着歌儿的鸟雀朋友们啊，
> 请飞到这里来，快点儿来啊！
> 大家一起来厨房里帮忙啊，
> 帮我把豆子从灰堆里挑出来！

很快就有两只白鸽飞到厨房里来，接着是两只斑鸠，再后面是一大群叽叽喳喳的小鸟。它们一进来就开始在灰堆里找起豆子来，找到一颗就用嘴巴啄到盘子里。就这样，仅仅用了半个小时，豆子全部被挑了出来。

送走小鸟们，灰姑娘又兴奋地端着盘子去找继母了，可继母却说："你别再烦我了，我是不会让你去的，你不会跳舞，又邋里邋遢的，会给我们丢脸的，我们该走了。"说完，父亲、继母和两个姐姐就去参加舞会了。

看到她们渐渐远去的快乐背影，灰姑娘一个人孤零零地来到了母亲的坟前，靠着榛树忧伤地哭了起来：

　　榛树啊，帮帮我吧，

　　请你来回摇一摇，

　　为我变出一条金色的舞裙吧！

　　话音刚落，小鸟就从树上飞下来，嘴里衔着一条金色的舞裙和一双金色的丝质舞鞋。灰姑娘迅速梳洗打扮，穿上舞裙来到了舞会上。现在的灰姑娘看起来高贵典雅、美丽动人，在场的所有人都看呆了。她的两个姐姐根本没认出她来，还以为她是一位她们不认识的公主呢。

　　王子直接走到她的面前，挽起她的手邀请她跳舞。他们跳了一曲又一曲。整场舞会，王子再没邀请第二个女孩跳过舞，而每当有年轻人来请灰姑娘跳舞的时候，王子都会说："她只和我跳舞。"他们一直跳到很晚，灰姑娘觉得自己该走了。

　　王子很想知道灰姑娘的家在哪里，所以他请求道："让我送你回去吧。"

　　灰姑娘没有同意，她挣脱了王子，跑掉了。可王子担心再也看不到她了，就在后面紧追不舍。见没办法摆脱掉王子，灰姑娘只好躲进家中的鸽子房里。恰巧这时候，灰姑娘的父亲和继母回来了。王子告诉灰姑娘的父亲说，在舞会上跟他一起跳舞的那个美丽姑娘正躲在鸽子房中，可灰姑娘的父亲打开门一看，鸽子房里空无一人，王子见状只好失望地回去了。

灰姑娘的父亲和继母来到厨房，发现灰姑娘正躺在灰堆旁，看起来她一直就在那里没有离开过。原来，进鸽子房后，灰姑娘很快就从后门出去了，然后将舞裙和鞋子还给了小鸟，又穿上那件灰色的旧裙子，来到厨房的灰堆旁躺下了。

第二天，父亲、继母和两个姐姐又去参加舞会了。灰姑娘连忙来到榛树下说道：

榛树啊，帮帮我吧，

请你来回摇一摇，

为我变出一条金色的舞裙吧！

小鸟为她衔来了一条比昨天那条更漂亮的舞裙，灰姑娘换好之后又去参加舞会了。她的美丽再次吸引了所有人的目光。正在等她的王子直接来到她的身边，开始邀请她跳舞。

舞会结束后，她又拒绝了王子要送她回去的请求，一个人跑掉了。王子一直跟着她回到了她家的花园里。灰姑娘见王子紧紧地跟在后面，而花园中除了一棵大梨树外没有其他可以躲藏的地方，就只好爬到树上去了。

等灰姑娘的父亲回来后，王子对他说："刚刚在舞会上和我一起跳舞的姑娘，现在正躲在你家花园中的梨树上。"

父亲心想："他说的难道是灰姑娘吗？"他叫人拿着斧子过来，将那棵大梨树砍倒，可树上什么人都没有。

父亲和继母来到厨房，发现灰姑娘像昨天一样，正躺在灰堆里呢。原来，灰姑娘从梨树上跳到了相邻的一棵大树上，然后从那棵树上下来，把舞裙脱下来还给小鸟，又穿上那件灰裙子，回到灰堆旁躺下了。

第三天，当灰姑娘看到父亲他们离开之后，就又来到花园里对榛树说：

> 榛树啊，帮帮我吧，
> 请你来回摇一摇，
> 为我变出一条金色的舞裙吧！

小鸟又为她衔来了一件比前两件裙子还漂亮的舞裙，并且还有一双闪闪发光的水晶舞鞋。当灰姑娘到达舞会的现场时，所有人都张大了嘴巴看着她，他们彻底为她的美丽所倾倒。王子迫不及待地走了过去，挽起她的手开始跟她跳起舞来。

舞会结束了，王子心想："我今天绝对不能再让她跑掉了。"

灰姑娘急于摆脱王子的追踪，一不小心，把水晶舞鞋掉在了王宫门口。王子捡起这只水晶舞鞋，嘴角露出了微笑。

王子将舞鞋拿到国王的面前，说道："一定要找到能穿得上这只水晶舞鞋的姑娘，我只娶她做我的妻子。"

灰姑娘的两个姐姐听到这个消息，高兴坏了，因为她们的脚长得十分漂亮，她们有信心能穿得下这只鞋子。可当妈妈陪

灰姑娘慌忙离开了王宫

着大女儿去试穿那只鞋子的时候，她怎么都穿不上，因为她的大脚趾太大了。妈妈拿来了刀子，对她说："干脆把大脚趾割掉吧，如果你当上了王后，就根本不再需要用脚走路了。"

听妈妈说得有道理，大女儿一狠心割掉了自己的大脚趾，把鞋子穿上了。当她忍着剧痛来到王子面前时，王子看到她穿上了水晶舞鞋，就把她当成了和自己跳舞的那个姑娘，带着她一起回王宫。

当他们走到花园旁边的时候，落在那棵榛树上的一只小鸽子突然唱起了歌：

快回去，快回去，

仔细看看那双脚，

鞋子小，根本不是她的鞋。

王子啊，王子啊，

重新回去找找，

这个不是你的新娘。

听了这歌声，王子看了看大女儿的脚，发现鲜血已经染红了鞋子。他坐着马车回去了，对她妈妈说："她是假新娘，快让她的妹妹再试试这只鞋。"

可二女儿的脚太大了，不能完全放到鞋子里面。妈妈就拿来刀子，将二女儿的脚割下去一块，她这才忍着痛将脚放进去。

等她穿着鞋子给王子看时，王子认为这才是他的新娘，于是两人坐上马车回王宫。

当他们经过花园时，落在榛树上的小鸽子又开始唱歌了：

> 快回去，快回去，
> 仔细看看那双脚，
> 鞋子小，根本不是她的鞋。
> 王子啊，王子啊，
> 重新回去找找，
> 这个不是你的新娘。

王子看了一眼二女儿的脚，发现鲜血把她的袜子都染红了，于是立刻调转马头回去，对她们的父亲说："她是一个假新娘，你还有女儿吗？"

父亲想了一下说："我还有一个亲生女儿，她整天待在灰堆里，邋里邋遢的，根本不可能是新娘。"

可王子一定要让灰姑娘来试试鞋子。父亲只好让灰姑娘洗漱干净，然后把她带到了王子面前。王子让灰姑娘在他面前穿上水晶舞鞋，灰姑娘的脚一下子就穿进去了，而且大小刚好。王子仔细看了看灰姑娘的脸，认出她就是和自己跳舞的那个姑娘，他高兴地大叫道："我终于找到了我的新娘！"

继母和她的两个女儿大吃一惊，不明白这到底是怎么回事。

当她们看到灰姑娘和王子坐着马车离开的时候，气得都快晕过去了。

当王子和灰姑娘经过花园的时候，小鸽子又唱歌了：

去王宫，去王宫，

快看看那只脚，

鞋子刚好，正是她的鞋。

王子啊，王子啊，

带着新娘回家吧，

她才是你真正的新娘。

小鸽子唱完了歌，从树上飞下来，站在灰姑娘的肩膀上，他们一起快乐地向王宫走去。

去当音乐家

很久以前，一个农夫养了一头驴子。这头毛驴为农夫兢兢业业地干了很多年的活儿，现在他的年纪大了，很多工作都干不动了。农夫觉得驴子的用处越来越小，就想把他杀掉，可是驴子看出了农夫的心思，就趁他不注意，悄悄地从家里溜出来，向城里逃去。

他心想："到了城里，我说不定能成为一名音乐家。"

他走着走着，在路边看到一只狗。那只狗正躺在路边不停地喘着粗气，驴子连忙走上前去，问道："朋友，你这是怎么了？"

狗回答说："我是一只猎犬，以前经常陪我的主人出去打猎。可现在我老了，跑不动了，主人就想把我杀掉，幸亏我逃了出来。可是，我以后该怎么办呢？"

驴子说道："我现在要到城里去，我在那里会成为一名音乐家，你有没有兴趣和我一起去呢？"狗当然求之不得，他立刻跟着驴子上路了。

他们走了没多远，便在路边看到一只猫，这只猫正蹲在那里唉声叹气。驴子走过去问道："女士，你遇到了什么事？"

"唉，提起来就很难过。"猫说，"我上了年纪，已经抓不动耗子了，就想躺在火炉边烤烤火。谁知我的女主人抓着我要把我扔到水里去，幸亏我逃得快，才幸免于难。可是，我将来要怎么维生呢？"

"或者，你可以和我们一起去城里当音乐家，你的嗓音会使你成为一个好歌手的。"驴子的建议被猫采纳了，她高兴地和他们一起上路了。

他们走着走着，经过了一个农庄，这时，一只大公鸡正在里面扯着嗓子高声叫着。"太棒了！"驴子说，"你的嗓音可真好，你在唱什么呢？"

"我本来是想告诉我的主人，今天天气很不错，正适合晾晒衣服。可是她呢，非但不领情，还告诉厨师明天把我杀掉煮汤，来招待她的客人。唉，真伤心哪。"公鸡回答说。

"这可真不幸。不过，公鸡，我们几个正要到城里去当音乐家，如果你一起加入，我们就能组建一支乐队了，跟我们一起走吧，总比在这等着挨宰强啊。"

"好，我很愿意加入！"公鸡回答说，他们四个就一起高高兴兴地上路了。

他们还没到城里，天就黑了下来，他们只好来到一片树林中，准备在这儿过夜。驴子和狗躺在树底下，猫蹿上了树枝，而公鸡总是习惯待在最高的地方，于是他就飞到了树顶上。就在这时，他发现在树林深处有一丝光线透出来，于是就对他的朋友们大声喊道："在我们前面应该有座房子，因为我看到那里有灯光。"

驴子说："这可真是个好消息。那我们就去那座房子里休息吧。"

狗也说道："那座房子里说不定还有骨头和肉呢。"

他们看准了方向就一起出发了。他们顺着灯光，很快来到了一座房子前面——一座强盗住的房子。

驴子悄悄地靠近窗户，朝里面看去。

公鸡小声地问道："你看到什么了吗，驴子？"

"是的，我看到了，"驴子说，"我看到一群强盗正围着一桌子好吃的大吃大喝呢。"

"这应该是为我们准备的吧？"公鸡说。

"没错，所以我们得先想想怎么把他们赶走。"驴子回答道。

商量来商量去，他们终于想出了一个好办法。驴子站在窗户前面，把前腿搭在了窗台上，然后狗跳到了他的背上，猫又跳到了狗的背上，最后，公鸡飞到了猫的脑袋上。接着，他们一齐大叫起来。驴子叫着"昂昂昂"，狗叫着"汪汪汪"，猫叫着"喵喵喵"，公鸡叫着"喔喔喔"，简直是乱了套。而且他们一边叫着，一边破窗而入。房子里面的强盗吓坏了，他们先是听到恐怖的声音，现在又发现有个巨人冲了进来。他们什么都顾不上了，鬼哭狼嚎般地向门外逃去。

等强盗们跑远了，这几个闯世界的动物就围着桌子坐下来，美美地大吃了一顿，因为他们已经饿坏了。吃完东西，

城里的音乐家们

他们各自找了自己喜欢的地方睡觉去了。驴子睡在院子里的稻草上，狗睡在门后的一块垫子上，猫睡在火炉旁，公鸡则跳上了房梁。

半夜的时候，强盗们回想起傍晚发生的事，觉得当时跑得太慌张，也没搞清楚状况。一个胆子大一些的强盗自告奋勇地要回房子里面看一看。他走进房子，看到火炉旁有两个光点，以为是还没熄灭的炭火——实际上那是猫的眼睛，他就找了盒火柴凑过去想要点燃。猫吓了一跳，她一下子蹦到了强盗的脸上又抓又挠，强盗大叫着向门口逃去；狗突然从门后跳出来，在强盗的腿上狠狠地咬了一口。当强盗跑到院子里的时候，驴子"呼"地一下倒立起来，用后腿猛地踢了强盗一脚。公鸡不知道发生了什么事，大声尖叫起来。强盗跌跌撞撞地逃回到同伙那里，声音颤抖着说："真是太可怕了，房子已经被一个巫婆给占领了，我刚一进去她就伸出了长长的利爪抓花了我的脸。当我跑向门口的时候，后面跳出来一个人刺了我一刀。我刚刚跑到院子里，那里一个又高又壮的怪物对着我抡起木棒就打，然后一个魔鬼般的声音响了起来：'抓住他！抓住他！'"

从那以后，强盗们说什么也不敢再回到那座小房子了。于是，那群音乐家就在小房子里开开心心地住了下来。据说，他们现在还住在那里呢。

小精灵的故事

第一个故事

很久以前，有一个老鞋匠，他的生意越做越不好，最后穷得连做鞋用的材料都买不起。他只剩下一张皮子，刚好够做一双鞋子。一天晚上，他将皮子剪裁好，放在一旁就上床睡觉了。

第二天一早，老鞋匠收拾完毕，来到工作台前，想把鞋子做好。可就在这时，他突然发现工作台上已经摆着一双精美的鞋子了。老鞋匠近距离地观察那双鞋，发现针法很细密，制作技艺非常高超。这到底是怎么回事呢？

过了一会儿，店里来了一位顾客，一下子看中了这双鞋，于是花了高价将鞋子买走。老鞋匠很开心，因为这些钱够他买一张能做四双鞋的皮子了。

第三天早晨，老鞋匠又在工作台上发现四双漂亮的鞋子。就这样，每天晚上老鞋匠裁剪好皮子，第二天早上一准儿就会看到做好的鞋子。老鞋匠的生意越来越好，很快他就变得非常富有了。

圣诞节前的那天晚上，老鞋匠对妻子说："这么久了，我们还不知道是谁在帮我们，今天晚上咱们两个先不睡觉，看看这个人到底是谁。"妻子很赞同他的想法。于是两个人点燃了一根蜡烛，并躲在房间的角落里。

半夜时，房间里突然走进了两个没穿衣服的小人儿。他们两个一进来就直接走到工作台前，拿起裁剪好的皮料开始干活。他们一会儿缝，一会儿钉，干得有条不紊，而且手艺令人赞叹。很快，他们做好了鞋子，然后又把工作台恢复成原来的样子，匆忙离开了。

第二天早上，妻子对老鞋匠说："这两个小人儿帮助咱们赚了那么多钱，咱们应该好好感谢他们才对。他们每天晚上来来去去的，却没有衣服穿，这样很容易着凉。我呢，决定给他们每人做一身衣服，你就给他们每人做一双鞋，做好之后送给他们。"

老鞋匠认为这个主意很不错。他们夫妻两个忙了一天，到了晚上，终于把要送给小人儿的衣物做好了。这天晚上，老鞋匠没有裁剪皮料，而是把那两身衣服和两双小鞋子放在了工作台上，然后夫妻两个又躲在了房间的角落里等着小人儿的到来。

半夜的时候，两个小人儿果然来了。他们在工作台上没有找到裁剪好的皮料，而是发现了两身漂亮的衣服，还有鞋子。他们急忙把衣服穿在身上，非常合身。两个小人儿高兴极了，快乐地唱起歌来：

衣服穿起来合适又漂亮，

以后可不用再当小鞋匠。

两个小人儿在工作台上又是唱又是跳，等到天快亮的时候，他们唱着歌离开了老鞋匠的房子。从此以后，老鞋匠再也没有见过这两个小人儿，而他和妻子也一直过着富足的生活。

第二个故事

很久以前，有一个穷苦的小女佣，她非常能干，每天都把主人家打扫得干干净净。

有一天，她正要把垃圾倒掉，突然发现垃圾里面有一张字条。可小女佣不认识字，她只好把字条拿给主人看。主人告诉她，这张字条是小精灵写给她的，希望她能去小精灵的家里，给一个女婴做教母。

小女佣不知道该怎么办才好，不过大家都说她应该去。

不久以后，有三个小精灵来找小女佣，并把她带到了一个巨大的山洞中，这里就是小精灵们的家。小女佣看到小精灵家里的东西小巧而精致，那个即将接受洗礼的小女婴正躺在一张黑檀木做成的小床上，她盖的被子是用金丝织成的。小床旁边放着一只象牙摇篮和金子做的澡盆。

小女佣亲自给小女婴进行了洗礼。仪式完成后，小女佣就要回家去。可小精灵们为了对小女佣表示感谢，非要留她在这里住三天再走。小女佣在小精灵家生活的这三天里，过着神仙般的日子。第四天，小女佣要回去了，小精灵们在她的口袋里放了很多金子，并把她送出了山洞。

小女佣回到了主人家里。她一进门就要开始打扫房间，可这时从门外走进来一个她不认识的人。原来，小女佣在山洞中待的这三天时间相当于世上的七年，她原来的主人早就死了。

第三个故事

从前有一个母亲，她放在摇篮里的婴儿被小精灵偷走了，而换了一个长得十分丑陋的婴儿放在里面。这个丑八怪婴儿呆呆的，不吃也不喝，母亲没办法，就去问邻居该怎么办。

邻居告诉她，她应该把丑八怪婴儿带到厨房里，在炉子里生起火，然后拿两只蛋壳，在蛋壳里盛上水后放到炉子上去煮。当蛋壳变热的时候，这个丑八怪婴儿就会哈哈大笑。等他发出笑声，事情也就解决了。

母亲按照邻居说的话去做了，她找来两只蛋壳盛上水放在炉子上去煮。就在这时，丑八怪婴儿说话了：

我的年纪很大了，

就像维斯特森林，

但至今从没看过，

一个丑八怪婴儿

有人用蛋壳煮饭。

说完，他就开始哈哈大笑起来。这时，一群小精灵出现了，他们把那个母亲的婴儿还给了她，把丑八怪婴儿带走了。

死神教父

很久以前，有一个穷苦的人，他有十二个孩子，他只有每天从早到晚不停地干活，才能勉强让孩子们吃上饭。可是，眼看着他的第十三个孩子马上就要出生了，这让他很犯愁。他走到路上，想请他第一个看见的人当这个孩子的教父。

穷人第一个看见的人就是仁慈的上帝。上帝知道穷人想的是什么，就对他说："让我来做你孩子的教父吧，我会给他带来幸福。"

穷人问道："你是谁？"

"我就是上帝。"

"哦，那我不想让你做我孩子的教父，你只把好东西给富人，而穷人什么都得不到。"穷人说完，转身就走。

不久以后，他在路上遇到了邪恶的魔鬼。魔鬼对他说："让我来做你孩子的教父吧，我会给他带来数不尽的财富。"

穷人问："你是谁？"

"我就是魔鬼。"

"哦，那我不想让你做我孩子的教父，你最喜欢骗人了。"

穷人说完，转身就走。

这时，冷酷的死神朝着穷人走过来，他说："让我做你孩子的教父吧。"

穷人问："你是谁？"

"我是死神。"

"好吧，你就来做孩子的教父吧，因为死神对待每个人都是平等的。"穷人说道。

穷人的孩子们

费切尔的怪鸟

很久以前，有一个巫师，他装扮成一个乞丐挨家挨户地乞讨。他并不想讨要食物，而是看到谁家有漂亮的女孩，就会把她抓走。没有人知道他把女孩都藏到哪里去了，因为至今还没有女孩回来过。

有一天，他又到一户人家乞讨。这家一共有三个漂亮的女儿，出来给乞丐送食物的是大女儿。巫师一看到女孩走过来，就把身上背着的篮子敞开了。巫师什么都没做，女孩就自己跳进了篮子。巫师背起篮子就向森林里的住处跑去。

巫师的住处非常豪华，那里有女孩子想要的一切。他对大女儿说："只要你跟我在一起生活，想要什么我都能满足你。"

几天后，巫师对大女儿说："我现在要出趟门，这是所有房间的钥匙，但有一个房间你是不能进去的。如果你偷偷进去的话，我就杀了你。"说完，他又交给大女儿一个鸡蛋，接着说："这个鸡蛋要随时带在身上，不然你就会倒霉的。"

大女儿一边答应着，一边接过了巫师交给她的东西。

巫师离开后，大女儿拿着那些钥匙到每个房间里都参观了

巫师装扮成乞丐

一下，所有的房间都富丽堂皇，里面装着很多金银珠宝。当她来到那个禁室的门前时，她有些迟疑，但最终还是在好奇心的驱使下拿出钥匙打开了门。

天哪，这个房间太恐怖了，正中间放着一个大盆，盆里都是血淋淋的人的肢体。在盆子的旁边，是一块被鲜血染红的砧板，砧板上插着一把锋利的大斧子。大女儿吓得魂飞魄散，一下子把手中的鸡蛋掉到了盆里。等她把鸡蛋拿出来的时候，鸡蛋上面已经沾满了血，怎么擦都擦不掉。

巫师很快回来了，他让大女儿把东西还给他。他一看到鸡蛋上的血迹，就明白她已经进过那个房间了。"我说过，如果你不听我的命令走进那个房间，我就会杀了你，这是你自己的选择。"巫师说完，就拽着大女儿的头发，把她拖到那个禁室里杀掉，并把她的肢体也扔在了那个大盆里。

"现在，我该去抓二女儿了。"巫师自言自语道。

他又装成乞丐去那家乞讨，这次是二女儿出来给他送吃的。他就像对付大女儿那样，把二女儿也抓走了。

二女儿跟大女儿的命运是一样的，她也进入了那间禁室，同样被巫师杀掉了。

巫师很快又把三女儿给抓了回来。三女儿是个聪明伶俐的女孩。她等巫师出门后，先把那个鸡蛋放好，然后才一个个房间参观。最后，她也进入了那间禁室。

天哪，当她看到两个被肢解了的姐姐后，差点儿没昏倒。

不过，她很快就镇定下来。她将姐姐们的身体组合在一起。姐姐们的眼睛很快就睁开了——她们复活了。姐妹们激动地抱在了一起。

巫师回来后，第一件事是检查鸡蛋。他见鸡蛋上没有血迹，以为小女儿经受住了考验，就对她说："你可以做我的新娘了。"这样一来，巫师的魔力就被破解了。从此以后，他都得听从小女儿的吩咐。

聪明的小女儿

"听着，一会儿你先给我父母送两篮金子去，我要留在家里准备婚礼。"小女儿对巫师说。

她说完，就装作去准备金子了。实际上，她是把两个姐姐藏在篮子里，并让她们回家以后找人来救自己。

她把两个篮子交给巫师，对他说："把这两个篮子一直扛到我家，不许在路上停歇，我会站在窗口看着你的。"

巫师把两个篮子扛在肩上就上路了。可这两个篮子实在是太沉了，他被压得快喘不过气了。他想把篮子放下来休息一下，可大女儿在篮子里喊："我看见你了，不许停，接着走。"他还以为这是小女儿从房子里发出的声音呢，只好扛着篮子继续走。

又走了一段路，巫师已经累得直不起腰来，他刚想把篮子放下歇一歇，一个声音又响了起来："我看见你了，不许停，接着走。"他只得继续赶路。

就这样，巫师在小女儿的"监视"下，一直把两个篮子送到了她的父母家。

小女儿在巫师的家里准备好了婚宴，并向巫师的朋友们送去了请柬。然后，她找来一个骷髅，让骷髅穿上自己的衣服，并把它立在了窗口。

看一切都准备停当，小女儿跳进了蜂蜜桶里，让全身沾满了蜂蜜。她又把羽绒被拆开，钻进去粘了一身的羽毛。她照照镜子，发现自己看起来就像一只怪鸟，连自己都认不出自己了。她从巫师的房子里走出来，碰上了前来参加婚礼的客人。

他们问："费切尔怪鸟，你是从哪儿来的啊？"

"我是从费切尔家来的啊。"

"新娘在干什么呢？"他们又问。

"她正站在窗口向外面张望呢。"小女儿答道。

她继续往前走，碰到了正赶回来的巫师。

巫师问："费切尔怪鸟，你是从哪儿来的啊？"

"我是从费切尔家来的啊。"

"新娘在干什么呢？"他又问。

"她正站在窗口向外面张望呢。"小女儿答道。

巫师抬头一看，正好看到立在窗口的那个骷髅，他还以为那就是自己的新娘呢，连忙亲热地挥手打招呼。当巫师走进房子里，来救小女儿的人也赶到了。他们把巫师和他那帮朋友牢牢地锁在房子里，点燃一把火，把他们全都烧死了。

画眉嘴国王

很久以前，有一个国王，他有一个非常美丽的女儿。他的这个女儿实在是太高傲了，前来求婚的人非常多，她却没有一个满意的。她不仅没答应人家的求婚，还对他们说了很多难听的话。

有一次，国王举行了一个盛大的宴会，邀请了全国上下所有优秀的年轻男子前来参加。

公主从他们中间走过，挨个儿奚落着前来参加宴会的人。胖的被她说成酒桶，瘦的她就说像蚊子；矮的嫌人家粗笨，白的又说像死尸；脸红的她说像公鸡，驼背的她就说像块木头疙瘩。总之，就没有一个她能看上眼的。

当她走到一个下巴有点儿翘的国王面前时，她居然哈哈大笑着说："快看哪，这个家伙的下巴怎么长得那么像画眉鸟的嘴呢。"

从此，这个国王便得了一个绰号——画眉嘴。老国王看到女儿轻狂的样子，十分气愤，他决定要狠狠地惩罚一下她——把她嫁给第一个来讨饭的乞丐。

公主嘲弄着她的每一个追求者

过了几天，国王听到王宫外面有一个乞丐在卖唱乞讨，他就命人将他叫了进来。这个乞丐衣衫褴褛，而且身上又脏又臭。他给国王和公主唱了一曲，希望能得到一些赏赐。

国王故意大声地说："你的歌唱得非常好，我决定把公主赏赐给你。"

公主听了国王的话后，吓得差点儿昏过去。但国王的命令是不能违抗的，于是，她只好跟那个乞丐举行了婚礼。

婚礼举行完毕，国王对她说："现在，你是一个乞丐的妻子了，所以你不能再留在宫中，快跟他一起去乞讨吧。"

乞丐拉着公主走出了王宫，他们来到了一片茂密的树林旁。公主问道："这片树林是属于谁的？"

乞丐说："是属于那个画眉嘴国王的，他既善良又富有。"

公主神色黯然地说："都怪我当初太狂妄了，要是答应嫁给画眉嘴国王就好了。"

他们继续往前走，来到了一片葱茏的草地旁。公主问道："这片草地是属于谁的？"

乞丐说："是属于那个画眉嘴国王的，他既善良又富有。"

公主难过地说："都怪我当初太狂妄了，要是答应嫁给画眉嘴国王就好了。"

他们继续往前走，又来到了一座漂亮的城市边上。公主问道："这座城市是属于谁的啊？"

乞丐说："是属于那个画眉嘴国王的，他既善良又富有。"

公主流着泪说:"都怪我当初太狂妄了,要是答应嫁给画眉嘴国王就好了。"

"不要再说了,你现在可是我的妻子,怎么总说嫁给别人的话呢。"说完,乞丐领着公主来到了一座又矮又破的小草房前面。

"天哪,这是房子吗?什么人才能在这里住下去呢?"公主尖声问道。

乞丐回答说:"这是我的家,你以后也要住在这里。"

公主没办法,只好弯下腰从那个低矮的小门里钻进了草房。"仆人在哪儿呢?"她问道。

"仆人?我哪有钱雇仆人啊。"乞丐大声说道,"快点儿,你去生火做饭吧,我都饿坏了。"

公主当然不会做饭了,乞丐只好动手做了一顿非常寒碜的晚餐。两个人吃完饭就休息了。第二天天刚亮,乞丐就催促公主去做家务。

几天之后,家里的粮食都吃光了,乞丐就对公主说:"我们再不干活赚钱,就没有吃的了,所以,你编些篮子去卖吧。"

乞丐采回来一些柳条让公主编篮子,可公主娇嫩的双手不仅没编出篮子,还被弄得伤痕累累。

"算了,别编篮子了,还是纺线吧。"乞丐说道。

公主只好坐在纺车前面开始纺线。可麻线太粗糙了,把她的手指磨得鲜血淋漓的。

"唉，我可真倒霉，娶了一个什么都做不了的妻子。"乞丐抱怨道，"看来我只能卖点儿陶器了，你和我一起到市场上去吧，你负责吆喝。"

"啊？这该多丢人啊。"公主心想。

但她又有什么办法呢，不去吆喝就得挨饿。

起初，她的生意做得还不错，因为她长得很漂亮，大家都过来买她的东西，甚至还有人付了钱不拿东西就走了。

他们赚了一些钱后，乞丐就又去进了一批陶器。可当公主刚把这些陶器在市场里摆开时，一个喝醉了酒的骑兵骑着马冲了过来，把她的陶器全都踩碎了。公主急得大哭起来，跑回家把这件事告诉了乞丐。

"你可真没用啊，现在陶器的生意也做不成了。"乞丐责骂道，"算了，你还是去王宫的厨房里帮佣吧，他们答应说可以让你在那里试用一段时间，而且，他们还管饭。"

公主只好到王宫的厨房里做了一个女佣。她在那里干的是最脏最累的活儿，晚上只能得到一些别人吃剩的饭菜用罐子带回家去填饱肚子。

这个国家的国王为了庆祝王子十八岁的生日，特意举办了一场盛大的舞会。那个晚上，公主躲在角落里偷偷望着宫殿里面。那富丽堂皇的布置和一个个珠光宝气的来宾激起了她的回忆，以前，她也曾是他们中的一员，可由于自己的傲慢无礼，落到了今天这个悲惨的境地，她陷入了深深的悔恨之中。

这时，一个身着华丽服装、戴着贵重珠宝的国王从大厅走过，他一眼就看到了躲在柱子后面的公主。他把她从角落里拉了出来，让她陪自己跳舞。公主认出眼前这个高贵的人就是当初向自己求婚又被自己奚落的那个画眉嘴国王，她挣扎着想要逃走。可是王子硬拉着她来到大厅，就在这时，公主口袋里的罐子突然掉到了地上，里面的剩饭剩菜洒了一地。

在场的所有人都看到了这一幕，他们哈哈大笑起来。公主羞愧得满脸通红，真想立刻从人们的视线中消失。

她步履蹒跚地向大门跑去，可她的脚刚踏上台阶，画眉嘴国王又出现在她面前。他温柔地对她说："别跑了，亲爱的，仔细看看我是谁吧，我就是那个跟你朝夕相伴的乞丐丈夫啊，那个在市场里面纵马踩碎陶器的骑兵也是我。我是因为太爱慕你才假扮成他们的，希望能让你认识到自己的错误，同时也给你一个小小的惩戒。"

听完了国王的话，公主失声痛哭。她抽噎着说道："我是那么傲慢无礼、目中无人，我根本就不配做你的妻子。"

画眉嘴国王温柔地把手环绕在公主的肩膀上，对她说："你已经不是当初的那个公主了，你真正认识到了自己的错误。所以，现在我们正式举行婚礼吧。"

画眉嘴国王说完，几个宫女就走了过来，她们带着公主去梳洗打扮了一番，公主立刻又变得光彩照人了。这时，公主的父亲也来到她的身边，他高兴地为她和画眉嘴国王这个难忘的婚礼送上了祝福。

三片羽毛

很久以前，有一个国王，他一共有三个儿子，大儿子和二儿子都非常聪明，唯独三儿子傻乎乎的，还不爱说话，大家都管他叫"缺心眼"。

国王见自己的年纪越来越大了，就开始考虑王位继承的事情。可是，他一共有三个儿子，王位该传给谁呢？他想到了一个办法。他把三个儿子叫到王宫外面，拿出三片羽毛来。他吹了一口气，三片羽毛就飞走了，他对三个儿子说："你们分别跟着这三片羽毛去寻找地毯，谁找到的地毯最漂亮，我就把王位传给谁。"

三片羽毛飞往不同的方向，一片向东，一片向西，一片则落到了地上。两个哥哥都冲着"缺心眼"轻蔑地一笑，然后一个向东，一个向西去寻找地毯了，只留下"缺心眼"在原地没动。

"缺心眼"蹲在地上盯着羽毛看。突然，他发现羽毛下面有一扇门。他把门打开，顺着石阶向下面走去。很快，他又来到了一扇门前。他抬手敲了敲，里面传来了说话声：

可怜的侍女是跛脚，

跛脚的狗儿四处跳，

快去瞧一瞧有谁到。

　　话音刚落，门就打开了。"缺心眼"看到开门的是一只巨大的蟾蜍，他身边还围着一群小蟾蜍。大蟾蜍问他干什么来了？"缺心眼"说他想找到世界上最漂亮的地毯。

　　于是，大蟾蜍把一只小蟾蜍叫过来说：

可怜的侍女是跛脚，

跛脚的狗儿四处跳，

快去把箱子搬来瞧。

　　小蟾蜍很快就搬来了一个大箱子。大蟾蜍打开箱子，拿出一块花纹十分漂亮的地毯送给"缺心眼"。"缺心眼"从没见过这么美丽的地毯，他道过谢，欢欢喜喜地从原路返回了。

　　大儿子和二儿子知道弟弟傻乎乎的，认为他不可能找到什么漂亮的地毯，所以他们两个也没用心找，只是随便买了两块粗糙的地毯回来应付父亲。国王看到"缺心眼"带回了一块美丽无比的地毯，就决定要把王位传给他。

　　大儿子和二儿子很不甘心，就去找父亲吵闹，说这次不算，要重新再比。

大蟾蜍给了"缺心眼"一块最漂亮的地毯

国王没有办法，只好又拿出三片羽毛吹走了。他说："这次谁找到世界上最漂亮的戒指，谁就能够继承王位。"三片羽毛飞走的方向和上次一模一样，于是大儿子和二儿子又一个向东、一个向西地去寻找了，"缺心眼"仍旧留在原地。

大儿子和二儿子都拿出了以前的旧戒指去重新打制，"缺心眼"则像上次一样去找了大蟾蜍。大蟾蜍从大箱子里拿出一枚精美的戒指送给了"缺心眼"。

当国王看到小儿子带回来的戒指后，立刻宣布王位是属于他的。两个儿子又跑到父亲这儿来大吵大闹，说要最后再比试一次，谁带回来的姑娘最美丽，王位就属于谁。

国王吹走了三片羽毛后，三个人又像前两次一样出发了。

"缺心眼"来到大蟾蜍面前，对他说："这次我要找到世界上最美丽的姑娘。"

大蟾蜍想了一下，就给"缺心眼"拿来了一个装着六只老鼠的空心萝卜。"缺心眼"接过萝卜不解地问："可这不是美丽的姑娘啊？"大蟾蜍诡异地一笑，说道："你再抓一只小蟾蜍放进去试试。"

"缺心眼"按照大蟾蜍说的话去做了。小蟾蜍刚一被放进萝卜里，就变成了一位美丽的姑娘，而萝卜变成了漂亮的马车，六只小老鼠则变成了六匹高头大马。"缺心眼"赶着马车，带着姑娘回王宫去见父亲了。而他的两个哥哥则带回了两个普通的乡村姑娘。

国王一看到三位姑娘，就立刻宣布："我的王位由小儿子来继承。"

大儿子和二儿子又跟父亲闹起来，他们要求在屋顶上挂一个圈，谁带回的姑娘能跳过那个圈，王位就由谁来继承——他们认为从乡村来的姑娘肯定最擅长跳跃了。

国王被吵得受不了，只好同意。首先由两个乡村姑娘来跳圈。她们虽费了很大的力气才跳过去，但一个摔断了胳膊，一个摔断了腿。轮到那位美丽的姑娘跳圈了，只见她轻轻一跃，就轻松钻过圆圈稳稳落在地上，就像一只小鹿一样轻盈。

国王立刻宣布王位由小儿子来继承，并且永不更改。于是，小儿子成了一名圣明的国王，还娶了那位美丽的姑娘做了王后。

石 竹 花

很久以前，有一位王后，她没有孩子。她每天都会到花园里去祈祷，希望上帝能赐给她一个孩子。

上帝派来了一位天使，天使告诉王后："你会有一个王子的，他还具有神奇的能力，就是能实现所有的愿望，得到一切自己想要的东西。"

不久以后，王后真的生下了一位王子。

王后经常带着小王子到饲养着野兽的花园里玩，还在小溪里给他洗澡。就这样，小王子渐渐长大了。

有一天，王后抱着小王子睡着了。一个坏厨师正好经过，他知道小王子具有神奇的能力，就偷偷把小王子抱走了。他把小王子藏到了一个别人找不到的地方，并找了个保姆照顾他。然后厨师又回到花园里，把鸡血淋在王后身上，还跑到国王那里去告状，说因为王后太大意，导致小王子被野兽吃掉了。

国王看到王后身上的血迹，相信了厨师的话。他命人修建了一座没有窗户的城堡，把王后关了进去。他要把王后关上七年，不给她饭吃，让她饿死在里面。

王后慈爱地抱着她的孩子

可上帝每天都会派两位天使来给王后送饭，整整送了七年。

那个被厨师藏起来的小王子已经长大了。厨师来到他面前，让他许个愿说想拥有一座宫殿。小王子的愿望刚一说出口，他们就在一座雄伟的宫殿当中了。

厨师又对小王子说："你再许愿说要一个美丽的姑娘与你做伴吧。"小王子把这个愿望说了一遍，瞬间，一个漂亮得无法用语言来形容的姑娘就出现在他们面前。小王子跟这位姑娘一起做游戏，他们玩得十分开心。而厨师也像个贵族一样，出去打猎去了。

可厨师越想越不对劲，他担心有一天小王子会回去找他的父亲，到时候自己岂不是很危险？于是他连忙跑回宫殿，把那个姑娘拉到角落里，对她说："今天晚上你必须把小王子杀掉，并把他的舌头和心脏拿来给我看，如果你做不到的话，我就杀了你。"

可第二天姑娘来见厨师的时候并没有带来他想要的东西，反而对他说："小王子对每个人都那么好，我不能杀他。"厨师恶狠狠地说："如果你今天晚上再做不到的话，我一定会杀掉你。"

于是，姑娘杀了一只鹿，把鹿的舌头和心脏取出来放在盘子里。等厨师向他们走过来的时候，她连忙用被子把小王子蒙住了。

邪恶的厨师问："舌头和心脏在哪里？"

姑娘正要端着盘子给厨师看，小王子一下子掀开被子，对厨师大声说："你这个恶魔，居然要杀死我，现在我就许愿，让你变成一只套着项圈的黑狗，并吞下烧红的炭，把你的喉咙烫坏。"

小王子的话音刚落，那个坏厨师立刻变成了一只黑狗，并且当它看到烧红的炭块时，大口将它吞下，喉咙烫得嘶嘶响。

这时，小王子突然想起了自己的国家和自己的母亲。他很想立刻回去看看，就对姑娘说："你愿意和我一起回王宫吗？"

"不，路太远了，而且那里又是那么陌生，我不想去。"姑娘答道。可是，小王子不愿意和她分开，于是就许愿把她变成了一株漂亮的石竹花，将她带在了身上。

王子骑着马出发了，那只黑狗跟在他后面吃力地跑着。他很快就来到了囚禁他母亲的城堡前。望着高高的城堡，他许愿道："希望能有一架长长的梯子。"一瞬间，一架梯子就靠在了城堡的墙上。

小王子顺着梯子爬到了城堡的顶端，冲下面喊道："王后陛下，您在吗？"

王后以为是天使又来给她送饭了，连忙说道："在，可我还不饿呢。"

小王子连忙说："我是您的儿子啊，我没有被野兽吃掉。现在，我要救您出来。"

他从梯子上下来，扮成了猎人去见父亲，问有什么可以为他效劳的。国王就说让他去捕鹿。

小王子把王宫中的猎人带到森林里，设好了埋伏，他许愿让两百只鹿进入包围圈。于是，他们最终捕到的鹿足足装满了六十辆马车。国王第一次看到这么多的猎物，开心极了，下令第二天要举行盛大的宴会，为这个猎人庆祝。

在第二天的宴会上，国王让这个能干的猎人坐到自己的身边，可他却说："我只是一个小小的猎人，怎么敢坐在国王身边呢？"但国王一定要让他过来坐，他只好听从了命令。

小王子坐在国王身边，心中许愿道："希望此刻有人能向父亲提到我的母亲。"他刚想到这里，就听到一位大臣问道："陛下，您还记得王后吗？不知道她现在怎么样了。"

国王的脸色一下子变得很难看，说："哼，她让我的儿子被野兽吃掉了，即便是死了也是咎由自取。"

这时，小王子"呼"的一下站了起来，大声说道："亲爱的父王，我就是您的儿子啊，我并没有被野兽吃掉，当年是那个坏厨师偷走了我，还陷害了我的母亲。"说着，他把那只黑狗拉了过来，告诉大家这就是那个害人的厨师变的。

他许了个愿，把黑狗又变回了厨师。国王一看，这个人果然是原来在王宫厨房中干活的人。他勃然大怒，立刻下令把这个厨师关进了黑黑的大牢。

小王子又对国王说道："亲爱的父王啊，有一个人你也应该见一见，她就是我的救命恩人。当那个厨师想让她把我杀掉的时候，是她冒着生命危险保护了我。"说着，他从口袋里掏出了那株石竹花。

国王从没见过这么美丽的花，他拿在手上欣赏着。这时，小王子许愿将石竹花恢复了原形——一位有着倾国倾城容貌的姑娘。国王赶忙上前，对她表示了诚挚的谢意。

国王连忙命人去城堡将王后接来，并让她坐在自己旁边。王后沉静地说道："这些年是上帝延续了我的生命，让我能重新见到我挚爱的儿子。现在我已经心满意足了，要去向上帝当面

囚禁王后的城堡大门打开了

致谢了。"

　　三天后，王后含着幸福的微笑去世了，那两个曾经给她送饭的天使化作两只白鸽，每日盘旋在她的陵墓前不肯离去。而那个黑心的厨师则受到了应有的惩罚，被处以极刑。老国王被深深的悲痛和愧疚折磨着，不久后也去世了。小王子继承了王位，并与那个曾经变成美丽的石竹花的姑娘结了婚，他们幸福地生活在一起。

金 山 王

很久以前，有一个商人，他用自己所有的钱买了两船货物，希望能赚得更多的利润。谁知，这两条船在回程途中失踪了。除了一对年纪还很小的儿女和一小块土地之外，商人变得一无所有。他内心很烦闷，于是经常到他的那一小块地上去散步。

有一天，他正待在他的那块地上愁眉不展，突然有个身上长毛的小矮人出现在他面前。小矮人问他为什么看起来闷闷不乐，商人说如果小矮人能帮上忙的话，就告诉他发生了什么。

"也说不定啊，或许我真的能帮上你呢，你就说说看嘛。"小矮人回答道。

商人把自己的遭遇告诉了小矮人，说他所有的货物都在海上消失了，很可能已经沉到了海底，现在他除了这块地已经什么都没有了。

"原来是这样啊，我完全能帮上你的忙。我可以给你许多金子，但你要答应我一个条件，那就是在十二年后的今天，你要把今天回家看到的第一件东西送给我，可以吗？"小矮人问道。

商人想了想，自己家里也没什么有价值的东西了，他回家看见的第一件东西最有可能是他家的狗。这时候，他完全没有想起自己还有两个孩子。于是他毫不犹豫地答应了小矮人的条件，两个人把约定写了下来，商人郑重地签上了自己的名字。

当商人一走进自己的家门，他的小儿子看到父亲回来了，高兴得挥舞着小手扑到了他的身上。商人大吃一惊，立即想起了刚才与小矮人的约定，他感到有些后悔。不过，当看到家里也没出现金子时，他觉得这可能只是小矮人跟自己开的玩笑，也就安下心来。

很快，一个月的时间就过去了。这天，商人来到楼上堆放杂物的房间里，想要找点儿有价值的东西出来换钱。当他打开门，他发现在房间的地板上堆着一大堆金子。商人欣喜若狂，拿着这些金子当本钱又开始做起生意来，并因此赚了很多钱，成了一个富翁。

时间过得很快，十二年过去了，商人的儿子已经长大。这时，商人想起与小矮人约定的时间马上就要到了，他不禁感到忧心忡忡。

儿子见父亲整天心事重重的，就问他发生了什么事。商人起初不肯说，可经不住儿子的软磨硬泡，只好把十二年前与那个小矮人约定的事告诉了儿子，并说他感到非常后悔。

听了父亲说的这件事，儿子并没有感到害怕，相反，他十分镇定地告诉父亲："爸爸，你别着急，我知道该怎么应付这件事。"

终于，与小矮人约定的时间到了。商人带着儿子一起来到自己的那块地上。儿子在地上画了个圆圈，他让父亲跟自己一起站在圆圈里面。这时，小矮人也来了，他问道："给我的东西你带来了吗？"

儿子没等商人说话，自己抢先说道："你说的是什么东西？"

小矮人说："小孩子别插嘴，我在跟你爸爸讲话呢。"

儿子说："你欺骗了我爸爸，所以你们的约定是无效的。"

小矮人说："你爸爸已经得到了金子，所以他就应该拿当初答应我的东西来交换。"

他们争论了很长时间，最后，双方约定将儿子放进一条小船中，然后让小船随波漂流。商人将载着儿子的小船推出去没多久，小船就遇到激流倾覆了。商人以为儿子已经被水淹死，悲痛欲绝地回家去了。

其实，商人的儿子并没有死，小船虽然翻了，但并没有沉入水底，男孩一直蜷缩在船舱里面顺流而下，直到船在岸边搁浅。

男孩从船底爬了出来，发现自己来到了一个陌生的地方，出现在他眼前的是一座雄伟的城堡。男孩走进城堡，但他不知道，这座城堡已经被施了魔法。男孩走遍了所有的房间，一个人都没找到，只看到了一条白蛇。

这条白蛇其实是一个公主变的，她告诉男孩："我的身体已经被施了魔法，只有你能解救我。记住，今天晚上会有十二个人到这里来，他们脸色漆黑，身上带着铁链，不管他们如何对待你，你都不要说出一个字来，过了十二点他们就会离开。明天晚上也是如此。到了后天晚上，会一起出现二十四个人，你一样不能说话，哪怕是他们砍掉你的头也要坚持住。因为到了晚上十二点，他们的魔法就会消失，我也能恢复成我原来的样子，那样我就有能力救你了。"

男孩答应了白蛇的请求。接下来发生的事，跟白蛇预料的一模一样，第三天晚上，男孩果然被砍下了脑袋。不过，十二点的钟声刚刚敲响，白蛇就恢复了公主的容貌，她救活了商人的儿子。两个人在这座城堡里举行了婚礼，男孩成了金山王。

他们在一起生活得很幸福，王后还生下了一个王子。八年过去了，金山王时时会想起自己的父亲来，他非常想去见见父亲。可每到这时，王后就会阻止他说："你不能回去，会出事的。"

但是金山王抑制不住对父亲的思念之情，坚持要回去。王后拧不过他，只好拿出一枚戒指来，递给金山王说："你回去的时候，一定要戴好这枚戒指，不管你需要什么，这枚戒指都会满足你。但是，你一定要记住，千万不要请求这枚戒指让我跟你父亲见面。"

金山王点头答应了王后的话，并把戒指戴到手上。他向戒指请求说让自己立刻回到家乡。刹那间，金山王就来到了家乡的城门前。守门的士兵见金山王的打扮很奇怪，便不让他进城。金山王只好找附近的一个牧民借了一身衣服穿，才混进了城。

商人的儿子被救活了

金山王回到家里，见到了自己的父亲。他告诉父亲自己就是他的儿子，可父亲说什么也不相信，他认为儿子早就死掉了。父亲见金山王穿得破破烂烂的，以为他只是想来向自己讨些吃的。

金山王想了想，说："不要忙着否认，你们应该还记得你们儿子身上的标记吧，可以验证一下啊。"

他的母亲连忙说道："对呀，我记得我儿子的胳膊上有一块红色的胎记。你能让我看看你的右臂吗？"

金山王挽起袖子，让他们看了他右臂上红色的胎记，母亲这才相信他就是他们的儿子。金山王说他已经和一位公主结了婚，并且还生了一个儿子。

可父亲还是不能相信金山王的身份，他觉得一个国王是不可能穿着这身衣服出门的。

金山王觉得很恼火，他没办法，只好请求戒指，让自己的妻子和儿子马上出现在这里。他刚把自己的请求说完，王后就带着王子出现在他们面前。王后一见到金山王，立刻流下了眼泪，问他为什么不遵守他们之间的约定，这下，不幸的事情很快就会降临。金山王并不相信王后的话，劝她别想那么多。

一天，金山王带着妻子和儿子来到了属于父亲的那块土地上，他告诉了他们之前发生在自己身上的那些事情。后来，金山王走累了，就跟王后坐了下来，并枕着王后的腿睡着了。

王后见金山王睡熟了，就把戒指从他的手上摘了下来，戴在了自己的手上。她请求戒指让她带着儿子回到城堡。很快，戒指就满足了她的请求，送他们回去了。

金山王醒来之后，发现妻子和儿子都不见了，而且戒指也不在自己的手上了。他知道回去之后也没办法向父亲解释，只好向自己的国家走去。

他不停地赶路。一天，他来到了一座大山脚下，在这里，他碰到了三个巨人。巨人们正因为分割财产而争论不休，看到他过来了，就对他说："看你个子小小的，一定很聪明，快来帮我们分分财产吧。"

原来，这三个巨人的财产是三件宝物：第一件宝物是一把宝刀，如果谁得到这把宝刀，无论他想杀掉谁，这把刀都会帮他实现目的；第二件宝物是一件斗篷，不管是谁穿上它，都会变成隐身人，而且自己想变成什么都行；第三件宝物是一双鞋子，这双鞋子能把人带到他想去的任何地方。

金山王听了他们的话后，立刻有了主意，说："只是听你们说，我还不能了解这三件宝物的价值，我得亲自试一试，才能够知道，这样也有助于我做到公平分配。"三个巨人认为他说的有道理，就把斗篷递给了他。金山王穿上斗篷后，心里说想变成一只苍蝇，果然，他立刻就变成了一只飞在天上的苍蝇。他说："看来斗篷的作用如你们所说的一样，现在再让我试试那把宝刀吧。"

三个巨人起初不肯，怕金山王用刀砍下他们的头，金山王保证他只拿一棵小树来试试刀的作用，巨人们这才把刀递给他。后来金山王又说要试试鞋子的作用。于是，三件宝物都到了他的手里。

金山王立刻许了个愿望，希望能立刻回到金山国。片刻之后，他就出现在了金山国。而那三个巨人呢，除了在那里大眼瞪小眼，什么都没得到。

金山王走进城中，发现到处都是一派喜气洋洋的景象。他向一个老百姓打听，才知道王后马上就要跟一个王子结婚了。金山王非常生气，他穿上斗篷，一路畅通无阻地来到了城堡里。

他想要捉弄一下王后。当仆人来给王后送食物的时候，他总是先把食物吃掉，让仆人们呈上来的盘子总是空空的。

王后吓坏了，她连忙跑回自己的房间里，边哭边自言自语地说道："上帝呀，怎么我身上的魔法还没解除，真正能救我的人什么时候才能出现呢？"

"哼，救你的人就在你面前，你这个愚蠢的女人！"说完，金山王就脱去了身上的斗篷，出现在王后面前。他来到了大殿上，告诉那些王公贵族们，他已经回来了，所以就不会再举行什么婚礼了，让他们赶紧离开这里。

那些王公贵族里有一些人向来狂妄自大、目中无人，他们先是取笑了金山王一番，然后居然还要把他赶出城堡。金山王拿出宝刀，许愿说要立刻杀掉那些忤逆者。片刻之后，刚才奚落金山王的那些人就人头落地了。

金山王又登上了他的王座，一直是这里的国王。

三只小鸟

一千多年以前，有一个国王，他特别喜欢打猎。

有一天，这个国王带着随从出门打猎。当他们走到一个山脚下的时候，正好有三个少女在那里放牛。看到国王一行人走过来，其中年龄最大的那个少女指着国王对另外两个说："我除了他谁都不嫁。"

第二个少女指着国王右边的随从说："我除了他谁都不嫁。"

年龄最小的那个少女指着国王左边的随从说："我除了他谁都不嫁。"

国王听到了这三个少女的话，但他不动声色。等他们打完猎回来，国王让人把那三个少女带来，问她们昨天都说过什么话，三个少女都羞涩地闭着嘴不肯说。国王就问年龄最大的那个少女："你昨天是不是说非我不嫁啊？"那个少女点点头。

见这姐妹三个都长得很漂亮，国王和他身边的那两位随从就娶了她们做妻子。

不久后，王后怀孕了，这让国王十分高兴。有一天，国王有事出门，就叫来那两个妹妹陪伴王后。国王走后，王后生了一个男孩，小王子身上长着一颗朱砂痣。两个妹妹十分嫉妒王后，经过密谋，她俩把小王子带出王宫，丢进了威瑟河里。这一切都被一只小鸟看在眼里，它在空中大声唱道：

王子能不能死，
只有上帝知道。
勇敢的小王子，
快变成百合花！

听到小鸟的歌声，两个妹妹吓破了胆，连忙逃回了王宫。这时，国王回来了，两个妹妹敷衍说，王后生了一只小狗，国王叹口气说道："这大概是上帝的安排吧。"

小王子漂到了河边，被一个渔夫捞了起来。他把男孩带回家和妻子一起抚养。

一年之后，国王再次出门的时候，王后又生下了一个男孩。而这个男孩也难逃厄运，他也被王后的两个妹妹带到河边丢掉了。这时，空中的那只小鸟又唱了起来：

王子能不能死，
只有上帝知道。
勇敢的小王子，
快变成百合花！

等国王回来后，两个妹妹告诉他王后又生了一只狗，国王摇摇头说："这大概是上帝的安排吧。"

这个男孩也被渔夫捞到，带回家去了。

当国王第三次出门的时候，王后生了一个小公主，她依然被王后两个狠心的妹妹丢进了河里。小鸟又唱道：

　　　　公主能不能死，
　　　　只有上帝知道。
　　　　勇敢的小公主，
　　　　快变成玫瑰花！

小女孩也被渔夫收养了。

当国王回来后，听说王后这次生了一只猫，他终于发怒了，下令把王后关进了监牢。

渔夫抚养的几个孩子渐渐长大了。一次，大儿子跟几个男孩一起玩，那几个孩子奚落他说："你是一个被捡来的孩子，真可怜。"

大儿子很生气，回家问渔夫到底是怎么回事。渔夫就把捡到他的经历告诉了他。大儿子非常伤心，说要去找自己的亲生父亲，然后跑了出去。他来到河边，看到那里有一位老婆婆在钓鱼。

"老婆婆好！"男孩问候道。

"你好！"老婆婆回答。

"钓到一条鱼需要很长时间吧？"男孩问。

"对，就像你找父亲也需要很长时间一样。我来送你过河吧。"说完，老婆婆就背着男孩过了河。男孩果然找了很久，但他始终没找到父亲。

一年后，弟弟出门去找哥哥了，他也一去不复返。第三年，他们的小妹妹为了找哥哥也来到河边，她遇到了那位老婆婆并问候道："老婆婆好！"

"你好！"老婆婆回答。

"你一定会钓到大鱼的！"小女孩说。

老婆婆笑了，她把小女孩背过河，然后给了她一根魔杖，并对她说："孩子，你就沿着这条路一直走。在路上，你会遇到一只大黑狗，但你什么都不要说，直接走过去。很快，你就会看到一座城堡，你迈过城堡的门口时，记得把魔杖放在那里，然后一直穿过城堡。当你走出去后，你面前会出现一口井，从井里长出的树上挂着一个鸟笼，你要把鸟笼摘下来，并从井里舀一碗水。然后你带着这两样东西原路返回，经过城堡门口的时候，拾回你的魔杖。当你再次看见那只大黑狗时，你就狠狠地抽它的脸，最后再回到我这儿来。"

小女孩按照老婆婆说的话去做了，并在回来的路上碰见了她的两个哥哥。

小妹妹遇到了一位老婆婆

当小女孩再次看到大黑狗的时候，她用魔杖狠狠地抽了一下它的脸，结果大黑狗一下子变成了一位王子。他们四个一起回到河边，老婆婆把他们背过河之后就消失不见了，因为她的使命已经完成。渔夫见三个孩子都回来了，高兴得不得了，他接过了小女孩手里的鸟笼，把它挂了起来。

二儿子带上弓箭出门打猎去了。当他走累时，就坐下来吹吹笛子。国王正好在附近打猎，他循着笛声走了过来，看到一个年轻人坐在那里，就问道："你是谁家的孩子？我怎么没见过你？"

"我是渔夫的儿子。"二儿子回答道。

国王不信，说他知道渔夫的妻子没生过孩子。二儿子就把国王带回了渔夫家，渔夫把三个孩子的来历告诉了国王。这时，鸟笼里的那只小鸟突然唱起歌来：

> 三个孩子的母亲，
> 一直被关在牢里。
> 最尊贵的国王啊，
> 他们是你的儿女。
> 是那狠心的妹妹，
> 嫉妒自己的姐姐，
> 将孩子扔在河里，
> 幸好被渔夫救起。

　　国王听了小鸟的歌后大吃一惊，这才知道了事情的真相。他带着所有人回到王宫，连忙把王后从监牢里接出来。见母亲已经生命垂危，小公主取出那碗井水给她喝了下去，王后立刻恢复了健康。国王下令处死了那两个狠毒的妹妹，她们终于受到了应有的惩罚。小公主则嫁给了那只大黑狗变成的王子，一家人从此幸福地生活在一起。

生命之水

很久以前，有一个国王，他生了重病，所有的医生都认为他没有康复的希望了。国王有三个儿子，父亲的病让他们特别难过，他们经常跑到花园里悄悄地哭泣。

有一天，他们又躲到花园里哭。这时，一位老人走过来，问他们为什么哭泣。三个儿子就把父亲生病的事说了出来。老人说："这的确令人担心。不过，我听说有一种生命之水，不管多重的病，只要喝上一口，就能马上恢复健康，但是这种水非常难找。"

大儿子坚定地说："为了父亲，我一定要找到它。"他来到父亲床前，请求父亲让他去寻找生命之水。

可父亲担心儿子遇到危险，不同意他去。但是大王子心想："如果我治好父亲的病，他一定会把王位传给我的。"于是他就苦苦哀求父亲，父亲只好同意了。

大王子劲头满满地上路了。这一天，他来到了一个怪石嶙峋的山谷中。一个坐在大石头上的小矮人叫住了他："这位王子，你在找什么东西吗？"

　　"这跟你有什么关系，小矮子！"大王子说完，骑着马头也不回地继续往前走去。

　　小矮人被大王子激怒了，气愤地冲着他的背影念了一句咒语。

　　大王子发现，他越往前走道路越窄，最后前面的两座山彻底地合在了一起。见没办法继续往前走了，他只好调转马头，原路返回，可这时他才发现后面的山也合上了。他被死死地困在了那个狭小的空间里，动弹不得。

　　二王子见哥哥迟迟未归，以为他已经死了，就急忙向父亲请求去寻找生命之水。他觉得如果自己成功了的话，王位就非他莫属了。国王起初也没有同意，后来禁不住二儿子的软磨硬泡，只好答应了。

　　二王子和大王子走的路线是相同的，所以他也在同一个山谷里遇见了小矮人。小矮人问道："这位王子，你在找什么东西吗？"

　　"看你那丑陋的样子，管那么多闲事干吗？"说完，二王子盛气凌人地转过头去，继续往前走了。不用说，他的下场跟大王子一样，也被小矮人施了魔法，困在一个地方出不来了。

　　这两个人纯粹是咎由自取，谁让他们狂妄自大、目中无人、出言不逊呢。

　　三王子见两个哥哥一去不复返，决定立即出发去寻找生命之水，下决心一定要治好父亲的病。

他来到那个山谷，也遇到了那个小矮人。小矮人问道："这位王子，你在找什么东西吗？"

"哦，是的，我正在寻找生命之水，因为我父亲病得很严重。您知道哪里能找到生命之水吗？"三王子彬彬有礼地回答。

见三王子态度谦恭，小矮人很喜欢他，于是说道："好吧，我来告诉你。你要找的生命之水就在一口井中，而这口井是在一座被施了魔法的城堡里。你沿着这条路一直走就会找到那座城堡，我会给你一根魔杖和两块面包。你用那根魔杖敲三下门，它就会自动打开，这时你会发现里面趴着两只饥饿的雄狮，你只要把那两块面包投进狮子的嘴里，它们就会让你通过了。当你看到那口井时，一定要以最快的速度取出一些水来并迅速离开城堡，因为如果过了午夜十二点，你就将永远被困在里面出不来了。"

三王子对小矮人表达了谢意，带着魔杖和面包上路了。他一路艰难跋涉，终于来到了小矮人说的那座城堡门前。他按照小矮人的说法很快通过了大门和狮子这两关，进入一间华丽的大殿中。

在大殿中，三王子看到几个骑士正坐在地上昏睡，于是摘下他们的戒指戴在了自己的手上，然后就进入了第一个房间中。房间里有一张桌子，上面放着一把宝剑和一块面包，三王子带上这两样东西又进入了第二个房间。在第二个房间里坐着一位美丽的公主，她一见到三王子，就高兴地对他说："你现在已经

三王子来到了魔法城堡

替我解开了身上的魔咒，一年之后，你要再回到这里，到时我就会嫁给你，并且这个王国也是属于你的。现在，你快去取生命之水吧，十二点之前一定要离开。"

三王子按照公主的指点，来到了一个花园中。这里空气清新、花香怡人，三王子坐在一张椅子上不知不觉睡着了。当他醒来的时候，发现还有十五分钟就到十二点了。

三王子惊得一下子跳了起来，他连忙跑到那口井边，拿起放在旁边的一个酒杯迅速从井里舀起一杯水，然后朝着大门口拼命跑去。当他刚刚跨出城堡大门时，十二点的钟声就敲响了，铁门"哐当"一声在他身后关闭。

三王子回头看了看，长吁了一口气。他小心翼翼地捧着生命之水踏上了归途。当他走到山谷中，又遇到了那个小矮人。小矮人看到了三王子手里拿的东西，就对他说："你不仅拿到了生命之水，还得到了两件宝物。这把宝剑能在瞬间消灭你的敌人，而这块面包则永远也吃不完。"

三王子虽然已经达成了自己的愿望，但他还想找到他的两个哥哥，和他们一起回去。于是他就向小矮人问道："尊敬的小矮人，您能不能告诉我，我要怎样才能找到我的两个哥哥呢？"

小矮人说："这两个家伙太目中无人了，我已经施了魔法把他们给困住了。"

三王子一听，连忙替两个哥哥向小矮人求情。小矮人起初怎么也不肯放了那两个人，后来禁不住三王子的苦苦哀求，只好对他说："好吧，我可以把他们放了，但你一定要记住，提防着点儿你的两个哥哥。"

三王子见到了两个哥哥，非常高兴，就把自己取得生命之水的经历告诉了他们，于是三个人愉快地踏上了回家的路。

不久，他们路过了一个正遭受战争和饥饿困苦的国家，三王子用他的宝剑帮这个国家消灭了敌军，还用那块面包拯救了饥饿的老百姓，使这个国家的人民过上了安居乐业的生活。

他用同样的方法，又帮助了路上经过的另外两个国家。

最后，由于要走一段海路，三个人就登上了一艘船。半夜时分，两个哥哥见弟弟睡着了，就起了坏心，不想让弟弟在父亲面前抢占所有的功劳。于是，他们将弟弟取来的生命之水偷换了出来，在弟弟的那个酒杯里灌上了海水。

他们回到王宫后，三王子立刻取出自己装水的那个酒杯给父亲喝，谁知，父亲喝了一口后病非但没好，反倒加重了。大王子拿出了另外一个酒杯，一边责备弟弟，一边给父亲喝了下去，结果，国王的病一下子全好了，浑身充满了活力。

后来，两个哥哥还找到弟弟，恶狠狠地威胁他说："以后你最好别在父亲面前说三道四，因为父亲已经相信是我们两个取回了生命之水。另外，一年后，我们两个中的一个将会去那个城堡跟公主结婚，你就老老实实地待在这儿，我们还能饶你一条命。"

国王病好以后，对小儿子的行为感到很生气，认为他是故意要害自己，于是就暗暗下了命令，要杀掉三王子。

有一天，国王派猎手带着三王子去打猎，当他们来到森林里的时候，三王子看到猎手闷闷不乐的样子，就问他有什么烦恼。

猎人摇摇头回答道："我不敢说。"

三王子劝他道："放心吧，不管你说什么，我都不会怪罪你。"

猎人只好说出国王让他杀掉三王子的事。

三王子听了猎人的话后大吃一惊，他想了想说道："我没做错什么，求你放过我吧。我现在就把我的衣服脱下来，你拿去给国王看，就说已经把我杀掉了。"

其实，猎人也不想杀掉三王子。他把自己身上的衣服脱下来给三王子换上，然后带着三王子的衣服回王宫复命去了。

一段时间以后，有一天，有三个国家的国王派了大使给三王子的父亲送来很多贵重的礼物，说是要感谢三王子当初解救了他们的国家和人民。国王一听，回想了一下小儿子平时的为人，觉得自己可能错怪了儿子，于是悔恨地说道："都怪我当时没好好了解一下事实，就仓促地杀了自己的儿子。"

这时，被国王派去杀三王子的猎手站了出来，对国王说道："陛下，当初我并没有真的杀掉三王子，他现在应该还活着。"

国王一听，大喜过望，立刻昭告全国，说他已经原谅了三王子，让他马上回来，并要好好待他。

而这时，在当初三王子取生命之水的那个城堡里，公主已经用黄金铺成了一条宽阔的大路，来迎接将自己解救出来的那个王子。她告诉卫兵，真正的王子到来的时候，一定是沿着黄金大路直接走进来；而假冒的王子，则会从旁边的小路走过来，如果看到他，一定要把他轰走。

一年的期限很快就到了，大王子想抢先去娶那位公主，于是骑着马出发了。当他看见城堡门前铺着黄金大路时，不敢走在上面，就从右边的小路来到了城堡门前。卫兵一看到他过来，毫不留情地轰走了他。

二王子没比大王子晚多久，也来到了城堡附近。当他看到黄金铺成的大路时，觉得如果让马蹄踩上去太可惜了，就从左边的小路来到了城堡门前。卫兵一看到他，不容分说也把他轰走了。

自从跟猎人分开后，三王子没敢走出那片森林。眼看着一年的期限马上就到了，他心里惦念着那位公主，于是骑着马向那座城堡飞奔而去。由于见心上人心切，他并没有注意到黄金的路面，而是直接驱马来到了城堡门前。公主早就在那里等着了，看见自己的救命恩人来了，她高兴极了，马上把三王子迎进了城堡。

他们举行了盛大的婚礼，三王子顺理成章地成了这个国家的国王。婚礼之后，公主告诉三王子，说他的父亲已经原谅了他，希望能再见到他。三王子听完后，迫不及待地启程回家了。当他回到父亲身边，便将两个哥哥的行为据实相告。因为之前他怕父亲伤心，所以才一直隐瞒了实情。

国王听了三王子的话后大发雷霆，下令要狠狠地惩罚他那两个逆子。可是，三王子的两个哥哥在三王子回来的时候就已经逃之夭夭了，从此杳无音信。

丛林中的守财奴

从前，有一个吝啬的农场主，他的一个仆人整整给他做了三年的苦工，却一分钱都没拿到。于是，这个仆人下定决心，如果再拿不到工钱，就立马走人。

仆人对农场主说："我已经任劳任怨地为你干了三年的活儿，也该得到报酬了。"

农场主知道仆人非常好骗，就拿出三个便士给了他。仆人从来没见过钱，以为这三个便士就是一笔巨款，他想："既然我有了这么多的钱，为什么还要在这里辛辛苦苦地工作呢？我应该马上离开这儿，去见见世面。"

想到这儿，仆人便带上这三个便士，离开农庄去闯荡世界了。

有一天，他来到一片田野，一个小矮人正好路过，他看到仆人手舞足蹈的样子，就好奇地问他为什么这么高兴。仆人说："我身体棒棒的，口袋里还有一大笔钱，什么烦恼都没有，为什么不高兴呢？"

"那你有多少钱呢？"小矮人问。

"整整三便士。"仆人答道。

"我是一个穷困潦倒的人，你能把你的钱给我吗？"小矮人装出一副愁苦的样子问道。

仆人是一个单纯又善良的人，他看到小矮人可怜的样子，就把三个便士都送给了他。小矮人很感动，于是对仆人说："你给了我三个便士，作为回报，我将满足你三个愿望。说吧，你都想要什么？"

听了小矮人的话，仆人觉得自己太幸运了，于是对小矮人说道："我的第一个愿望就是需要一张弓，不管我用这张弓瞄准什么，它都会掉下来；第二个愿望是要一把小提琴，只要我一拉琴，听到音乐的人都要跳舞；第三个愿望就是希望我遇到的每一个人都能答应我的请求。"

小矮人立刻拿出了一张弓和一把小提琴，把它们交给了仆人，并告诉他这三个愿望都会实现的。说完这些话，小矮人就消失了。

仆人得到了自己想要的东西，别提多高兴了，他一边高声唱着欢乐的歌，一边朝前走去。不一会儿，他来到了一棵大树下。树下正站着一个吝啬鬼，吝啬鬼看到树上有一只小鸟，便说道："多漂亮的小鸟啊，真希望我也有这么一只鸟，哪怕用我所有的财产来换我都愿意。"

仆人一听，便说道："我可以满足你。"然后用他的弓瞄准了那只小鸟，小鸟便掉了下来。

吝啬鬼根本没想掏钱，他一下子扑过去开始抓鸟了。仆人看到这样，便拿出小提琴拉了起来，吝啬鬼一听到音乐，马上手舞足蹈地跳了起来。他越跳越卖力，一直跳到衣服被树枝刮烂，身上也被划得净是伤口，都不能停下来。

吝啬鬼大哭起来，他对仆人说道："神仙啊，你这是在惩罚我吗？我到底做错了什么呢？"

仆人说："因为你的钱都是压榨穷人得来的，所以你该受惩罚。"说完，他又开始拉起琴来。

吝啬鬼说他愿意拿出钱来，只要不让他继续跳舞就行。说完他不情愿地从口袋里掏出一枚金币递给仆人。仆人看他不思悔改，就更卖力地拉起琴来。吝啬鬼一枚金币一枚金币地往外掏，最后他跳得气都要喘不上来了，只好把整整一袋金币都递给了仆人，一共有一百枚金币呢。

仆人接过钱袋，停止了拉琴，高高兴兴地继续他的旅行。

吝啬鬼看到自己身上伤痕累累，恨得咬牙切齿，他发誓一定要报复那个仆人。他跑到法官那里，说自己被一个强盗抢劫了，那个强盗的特征是背着一张弓，手里拿着一把小提琴。法官相信了吝啬鬼的话，就派人去抓捕那个强盗。很快，仆人被抓住并被带到了法官那里。

吝啬鬼在法官面前控告仆人抢劫了自己的金币。仆人分辩说，这钱是自己为吝啬鬼演奏乐曲得到的报酬。法官根本就不相信仆人的话，直接宣布判处仆人死刑。

吝啬鬼的衣服都被树枝刮破了

当仆人站在绞刑架上时，他大声地对法官说："法官大人，你能满足我一个愿望吗？"

法官点点头，说只要仆人不要求被赦免，什么愿望都可以满足他。

于是仆人说道："我只想在临死之前再拉一次我的小提琴。"

吝啬鬼听了他的话吓得哇哇大叫："法官大人，千万不能让他拉琴啊，求你了！"

可法官却说："就让他拉吧，这个要求一点儿都不过分。"其实，这正是当初小矮人答应他的第三个愿望。

吝啬鬼连忙大叫："那快帮帮忙，把我绑起来吧。"

但是，仆人的琴声已经响了起来，法官和他的手下立刻配合着音乐迈起了舞步。仆人继续拉，这时，一直抓着他的人也放开了他们的手，情不自禁地跳起舞来。很快，在场的所有人都跟着音乐如醉如痴地手舞足蹈。开始时，他们跳得还很高兴，可是跳了很久之后，他们都受不了了，因为他们跳得都快断气了。这时，法官才意识到这个仆人一定有魔力。他声嘶力竭地冲仆人喊道："我宣布，你被无罪释放了，而且，那一袋金币也是属于你的。"仆人终于停止了演奏。

仆人走到吝啬鬼面前，大声说道："如果你不想受到我的惩罚的话，现在就告诉在场的所有人，你的金币是从哪儿来的？"说完，他冲着吝啬鬼扬了扬手里的小提琴。

吝啬鬼惊恐地盯着那把小提琴，颤声回答道："那些钱是我用卑劣的手段，靠压榨那些穷苦的人得到的。"

仆人冲着法官点点头，法官立刻命人将吝啬鬼推上了绞刑架。

聪明的小裁缝

从前有一位公主，每当有人向她求婚的时候，她就会出一个谜语，说只有猜中谜语的人才有资格娶她。可是，始终都没人能猜出她的谜语。

有三个裁缝，也想去公主那里试试运气。其中两个年龄大一些的裁缝认为自己心灵手巧，很有可能会成功；而那个年龄最小的裁缝学无所成，一心只想着玩。

两个大裁缝对小裁缝说："你去了也是白搭，待在家里算了。"

可小裁缝不服气地说："那是因为你们还不知道我的厉害，咱们走着瞧吧。"于是，他们就出发了。

三个人见到公主后，向公主禀报了自己的身份，并夸耀说只有他们才能猜出公主的谜语。

公主说出了自己的谜语："我头上长了两种头发，你们能说出它们的颜色吗？"

第一个裁缝说："很简单，是黑和白两种颜色，就像黑白格子布一样。"

公主摇摇头说:"不对。下一个来回答。"

第二个裁缝连忙说道:"是棕色和红色,就像一件华丽的礼服。"

公主又摇了摇头,说:"还是不对。第三个人,你知道吗?"

小裁缝大声说道:"我没猜错的话,应该是金色和银色两种颜色。"

公主顿时脸色惨白,因为小裁缝说出的正是正确的答案,她还以为这个秘密永远也不可能有人猜到呢。她深深吸了一口气,然后对小裁缝说道:"好吧,你的答案是正确的,但还有一关,你通过了我才能嫁给你。花园里住着一只熊,今天晚上你必须和它住在一起,如果明天早上你还能活着出来的话,我就可以和你结婚了。"公主心里暗想,凡是进到熊窝里的人,没有一个能活着出来的,小裁缝肯定也不例外。

小裁缝并没有被吓到,他轻松地说道:"没问题,我会活着出来的。"

晚上,仆人们把小裁缝推进了熊窝,就赶紧逃得远远的。

熊一看见有人进来,立刻就要猛扑上去。小裁缝连忙对熊说道:"别着急,先等一下。"说完,他从口袋里掏出一把坚果,一粒一粒地嗑起来。熊见小裁缝吃得那么香,也嚷着要吃。

小裁缝从另一个口袋里掏出一把石子放在熊掌上,熊也学着小裁缝的样子嗑起来,可它把牙都咬疼了也没嗑开一粒。它觉得自己真是太愚笨了,只好向小裁缝求助。

小裁缝一边接过石子一边说道："你怎么这么笨呢，这么简单的事情都做不到。"说完，他趁熊不注意将一粒坚果扔进了嘴里，"咔吧"一声就嗑成了两半。

熊见小裁缝咬得那么轻松，连忙说道："我知道该怎么咬了，看我的。"

小裁缝又将一粒石子递给熊，熊把它放进嘴里用尽全身的力气使劲儿一咬，石子居然被它咬开了。小裁缝见状，就从外衣底下掏出了一把小提琴，开始拉起来。熊一听到琴声，立刻跟着音乐跳起舞来。它觉得这个东西很好玩，就问小裁缝："这个难学吗？"

小裁缝说："非常好学，简单得不能再简单了。"

熊说："太好了，快教教我吧，等我学会了，就可以天天跳舞了。"

小裁缝满口答应道："没问题啊。但你能不能学会完全取决于你的爪子，你先把爪子伸出来让我看一看。"

熊把爪子伸了出来，小裁缝摇摇头说它的指甲太长了，需要修剪一下。于是他掏出一把老虎钳来，让熊把爪子放进去，然后用力把钳子拧紧。熊的爪子就被牢牢地固定住了。

小裁缝走到一旁，躺在一堆稻草上，安心地睡着了。熊被气得发了疯，嗷嗷地大叫着。

公主听到了外面的熊叫声，以为熊已经顺利地吃掉了小裁缝，她也安心地睡着了。第二天一早，公主迈着轻快的步子来到熊窝旁，突然看到小裁缝正站在那里冲着她微笑呢。

　　公主没办法，只好履行自己的诺言，打算嫁给小裁缝。可当她和小裁缝坐上马车准备前往教堂时，那两个大裁缝嫉妒小裁缝的运气，把那头狂怒的大熊放了出来。熊一跑出熊窝，就立刻朝马车追去。

小裁缝正站在熊窝外面冲着公主微笑呢

公主听到后面传来熊的号叫声，回头一看，发现熊马上就要追上马车了。她吓得大声尖叫道："天哪，熊来抓你了！"

听到公主的叫声，小裁缝立刻头朝下倒立，一边把双脚张开冲着熊伸过去，一边大声喊道："没关系，看我用老虎钳来对付它。"

熊听到小裁缝的话顿时吓得魂飞魄散，还没等看清伸过来的到底是什么东西，就转身逃跑了。

小裁缝和公主顺利地到达教堂，举行了隆重的婚礼。从此，两个人幸福地生活在一起。

蓝 灯

很久以前，有一个士兵，他为国王打过很多仗，还受过很重的伤。终于，战争结束了，国王却对他说："现在我不再需要你了，请你马上离开我的军队，而且别想再从我这儿得到一分钱。"

士兵不知道以后该怎么办，他漫无目的地朝前走着。天渐渐黑了，士兵在森林里看到一座亮着灯的小房子。那座房子里住着一个女巫。

"行行好，给我点儿吃的吧，再让我睡一觉，我已经坚持不住了。"士兵来到房子里，向女巫恳求道。

"我为什么要无缘无故地帮你呢？"女巫喊道，"不过，如果你答应以后听从我的命令，我或许会收留你。"

"你需要我做什么呢？"士兵问。

"替我的菜园松松土吧。"

士兵一听，立刻答应下来。第二天，他松了整整一天的土。

晚上，女巫允许士兵住下来，并说道："明天帮我劈一堆柴吧。"

天亮的时候，士兵又开始劈柴，他一干就是一天。晚上，女巫又对士兵说："明天你的工作很简单，在这座房子的后面有一口井，我有一只发蓝光的灯掉到下面去了，你下去帮我捞上来。"

第二天，士兵跟女巫来到了那口井旁。女巫让士兵坐在竹篮里面，她把士兵放了下去。士兵很快就在井底找到了那盏灯，就在士兵快要被拉出井口时，女巫伸出手去抢夺那盏灯。士兵见女巫没安好心，连忙把灯藏在身后，要求女巫先把他拉出去，才能把灯给她。

女巫一听，勃然大怒，手一松就把士兵扔进了井里，转身走掉了。

士兵坐在黑暗的井底，忧伤地想，自己恐怕没有机会再出去了。他掏出了烟斗，想要最后再享受一下。

他用蓝灯的火焰将烟斗点燃了，吧嗒吧嗒地吸起来，袅袅的烟雾慢慢地向上升去。突然，在烟雾中出现了一个黑黑的小人儿，他冲着士兵鞠了一躬，然后恭敬地问道："主人，您需要我做什么？"

"我……可以命令你吗？"

"当然，您让我做什么都行。"小人儿回答道。

"那你能帮我从这口井里出去吗？"士兵问。小人儿点点头，提着蓝灯拉着士兵来到一个地道，这里是女巫藏宝的地方，士兵把自己所有的口袋都装满了金子，然后跟着小人儿回到了地面。

"现在，让那个女巫受到应有的惩罚。"士兵命令道。

他的话音刚落，就看到女巫被一只大野猫给带走了。小人儿对他说："主人，女巫已经被咬死了，您还需要我做什么呢？"

士兵说："现在没有了，你可以走了，等有事的时候我再叫你。"

小人儿说："您需要我的时候只要用蓝灯点燃您的烟斗，我就会出现了。"说完，小人儿就不见了。

士兵回到他离开的那座都城，住进了最豪华的旅店，还定做了很多漂亮衣服。然后，他又把那个小人儿召唤了出来，并对他说："当初我为那个国王立下了汗马功劳，最后却被他无情地赶走了，我要复仇。"

"主人，您需要我怎么做呢？"小人儿问道。

"等到半夜，你去把公主给我偷出来，我要让她服侍我。"

小人儿说："我的确可以办到，但这样做您将来会有危险的。"

当天半夜，小人儿果然把公主给士兵带来了。

"这真是太好了！快去，把我的房间打扫干净。"士兵向公主命令道。公主很快就将房间打扫了一遍。士兵把脚伸出来，让公主给他脱靴子，脱完之后，他又把靴子丢到公主的身上，让她把靴子擦干净。公主已经非常疲惫了，但却毫无怨言地一直服侍着士兵。天快亮的时候，小人儿又把公主送回了她的床上。

早上，公主向国王请安的时候，告诉父亲她昨晚做了一个奇怪的梦："我好像被人背在背上，走了很远的路，来到了一个士兵的房间里。在那里，我整整做了一夜的苦工。早上醒来的时候，我简直不相信那是个梦。因为我浑身酸痛，好像真的干了一夜的活儿。"

国王琢磨了一下，说道："也说不定这一切都是真的呢。今天晚上睡觉前你在你的口袋里装满豆子，然后把口袋戳破。这样，如果再有人来把你背走，我们就能沿着掉落的豆子找到你了。"

当国王说这番话的时候，小人儿就躲在一旁。当天晚上，小人儿将城里所有的道路都撒上了豆子，然后背上公主就走。当然不会有人找到公主了，公主只好又辛辛苦苦地干了一夜的活儿。

国王又想了一个主意，他对公主说："今天晚上你穿着鞋子睡觉，等你离开士兵的房间时就留一只鞋子在那儿，那样我就能找到他了。"

小人儿又听到了国王的话。当士兵再次命令他去偷公主的时候，他就把国王的主意告诉了士兵。但士兵仍旧坚持让小人儿执行命令。

天快亮的时候，公主偷偷地将一只鞋藏在了士兵的床下，然后就被小人儿背了回去。

第二天，国王下令在全城搜索公主的那只鞋子。很快，鞋子就在士兵的床下被发现了。毫无疑问，他被关进了监牢里。

士兵站在监牢的窗口向外张望，他一眼就看到了当初跟自己一起打仗的伙伴。士兵将他叫过来，让他去旅店里帮他取一包东西来，并答应会重重酬谢他。他的伙伴很快就替他把那包东西取来了。

士兵打开包裹，拿出那盏蓝灯点燃了烟斗，小黑人儿立刻出现在他的面前，并对他说："主人，明天您被押走的时候，一定要记得带上蓝灯。"

第二天，国王将士兵判了死刑。当他被押上绞刑架的时候，他恳求国王让他再抽一次烟斗。国王想都没想就答应了。

士兵用蓝灯点燃了烟斗，小人儿立刻出现了，他说道："主人，我听从您的吩咐。"士兵咬牙切齿地说道："给我狠狠地鞭打那个坏透了的国王，打到他求饶为止。"

小人儿立刻拿着鞭子冲向国王，把国王打得遍体鳞伤、哭爹喊娘。国王爬到士兵的面前，苦苦哀求他放过自己，并答应让士兵做国王，还把公主嫁给了他。

士兵看到了当初和自己一起打仗的伙伴

铁 炉

很久以前，一个女巫对一个王子施了魔法，把他困在一个铁炉中，并把铁炉丢在了森林里。

多年以后的一天，一个公主来到森林里，她迷了路。公主在森林中转了整整九天，都没有找到出去的路，却意外地发现了这个铁炉。

突然，铁炉中传来了说话声："你来这里干什么？"

"我找不到家了。"公主回答说。

那个声音又说道："我是一个王子，我可以帮你回家，但你要答应嫁给我。"

公主觉得这很不可思议，心想自己怎么能跟一个铁炉结婚呢？不过，为了能回家，她还是答应了下来。

那个声音说："你回去以后，要带着一把刀回到这儿来，在铁炉上挖一个洞。"说完，他就指点着公主走上了回家的那条路。

很快，公主就回到了王宫。公主愁眉苦脸地对国王说："父王啊，虽然我回来了，可是我还得马上回去。因为我答应了一个铁炉要救他出来，并嫁给他。"

国王想了一个办法，他让磨坊主的女儿冒充公主去见铁炉。磨坊主的女儿拿着一把刀，找到了那个铁炉，就开始在上面挖起来。可是她挖了整整一天，都没挖下一丁点儿铁屑来。

天快亮的时候，炉子里的声音说："天好像要亮了。"

女孩说："嗯，我爸爸应该把磨坊里的机器打开了。"

"原来你是磨坊主的女儿，你赶快回去，让真正的公主来。"

女孩回去后，把经过对国王说了。国王又想了一个主意，这次他找来牧羊人的女儿来冒充公主。牧羊人的女儿来到铁炉前，也开始用刀挖起来，可结果跟之前那个女孩一样，什么都没挖下来。

天快亮的时候，炉子里的声音说："天好像要亮了。"

女孩说："嗯，我爸爸的牧笛就该吹响了。"

"原来你是牧羊人的女儿，你快回去，让真正的公主来，否则我就将给她的国家带来灾难。"

女孩回去后，把经过告诉了国王。没办法，公主只好亲自去见铁炉。公主拿着刀，来到铁炉前动手挖起来。很快，铁炉就被挖出了一个小洞。公主从小洞向炉子里看去，果然发现里面坐着一个英俊的王子。公主高兴极了，更加卖力地挖了起来，很快洞就挖好了，王子从里面钻了出来。他对公主说："你已经答应嫁给我了，现在就跟我回我的国家去吧。"

公主说她要先回去辞别父王。王子答应了，但他告诫公主只能跟她的父王说三句话。可是公主一见到父王就把王子的嘱咐给忘了。当她说第四句话的时候,森林里的那个铁炉和王子就消失了。

公主告别了父王又回到了森林里,可是她哪里还能再找到那个铁炉呢。公主在森林里转了整整九天,饿得几乎要昏倒了。当天黑的时候,她忽然发现远处有灯光在闪烁,于是连忙向那里跑去。

当她靠近灯光的时候,才发现那灯光是从一座破旧的小房子里照出来的。她走到窗前,向房子里望去,发现房子里到处都趴着癞蛤蟆。在房子的正中央放着一张桌子,桌子上摆着香喷喷的烤肉,餐具也十分精美。

公主壮着胆子敲了几下门,房子里的一只大癞蛤蟆就叫了起来:

> 绿绿的小丫头,
> 可爱的小女仆,
> 坐着的小狗啊,
> 蹦跳着走过去,
> 开门看谁来了。

然后,一只小癞蛤蟆就蹦蹦跳跳地来开门了,公主走了进去。大癞蛤蟆问道:"你来这儿干什么?"

公主就把之前发生的事告诉了他，然后说道："就算我走遍天涯海角也要找到王子。"听完公主的话，大癞蛤蟆又叫了起来：

> 绿绿的小丫头，
>
> 可爱的小女仆，
>
> 坐着的小狗啊，
>
> 蹦跳着走过去，
>
> 把盒子拿过来。

小癞蛤蟆又蹦蹦跳跳地去取了一个盒子过来。大癞蛤蟆没再说什么，只是让公主饱饱地吃了一顿，然后就让她躺在软软的床上睡觉了。

第二天一早，大癞蛤蟆见公主睡醒了，就告诉她，从这里出发要经过一座玻璃山，再躲过三把宝剑，最后从一个大湖上渡过去才能见到王子。说完，他从盒子里拿出了三根针、一个飞轮和一块竹板交给公主，送她上路了。

公主来到玻璃山下，把针交替着插在光滑的玻璃上，用脚踩着针翻过山去；然后她又蹬着飞轮越过了三把宝剑；最后她坐在竹板上面渡过了大湖，终于来到了一座雄伟的宫殿前。

公主有种预感，她要找的王子一定就住在这座宫殿里。她走了进去，可怜巴巴地说自己是来找工作的。此时，王子正在筹备一场婚礼，而新娘却是另外一个人。

公主蹬着飞轮越过了三把宝剑

　　这天晚上，做了一天佣人的公主准备歇一歇。她从口袋里掏出一枚坚果放在嘴里咬开。谁知，在坚果壳里裹着的竟然是一套漂亮的礼服。这时，新娘刚好走过来，看中了那套礼服，就想买下来。公主说如果新娘允许她在新郎的房间中过一夜，她就把礼服送给新娘。新娘答应了。

　　新娘回到房间，把安眠药掺进酒里给王子喝了下去，王子很快沉沉地睡去了。公主来到王子的房间里，可不管她怎么呼

王子沉沉地睡去了

唤，王子都没有醒过来。公主悲伤地大哭起来，并把自己从解救王子到历尽千难万险来寻找王子的事哭诉了一遍。这些话都被守在门外的仆人听到了。第二天，当王子醒来时，仆人将昨天晚上公主说的话原原本本地告诉了王子。

第二天晚上，公主又从坚果中嗑出了一套比昨天那套还漂亮的礼服，通过与新娘交换，她又来到了王子的房间里。可王子再一次昏睡不醒，公主哭诉了整整一夜。第二天，仆人照例把她的话告诉了王子。

第三天晚上，公主将一套纯金的礼服送给了新娘，条件是她要再在王子的房间里过一夜。这次王子学聪明了，他并没有喝下新娘为他准备的掺了安眠药的酒。所以，当公主刚说到"亲爱的王子，当初是我把你从铁炉中……"的时候，王子一下子坐了起来，他大叫道："你才是我的新娘！"说完，他拉着公主的手坐上马车向公主的国家飞驰而去。他们渡过大湖，绕过三把宝剑，越过玻璃山，一直来到公主获得三件宝物的那座小房子前面。

小房子立刻变成了一座金碧辉煌的宫殿，里面所有的癞蛤蟆都变成了真正的公主和王子。原来他们之前被施了魔法，现在魔法终于被解除了。

王子和公主就在这座宫殿中举行了隆重的婚礼。然后，他们把公主的父亲也接到了宫殿中和他们一起住。从此，一家人幸福地生活在了一起。

森林中的老妇人

很久以前，有个穷苦的小女孩在一户人家做女佣。有一天，她跟主人一家穿过一片大森林。突然，一群强盗从树丛里跳了出来，他们见人就杀。小女孩吓得躲在一棵树后面，逃过了强盗的杀戮。

强盗杀光了所有人，带着财物扬长而去。这时，小女孩战战兢兢地走了出来，她看到这悲惨的场面，顿时哭了起来。她现在无依无靠了。

小女孩不停地走，但怎么都找不到出去的路。天黑了，她又累又饿，于是在一棵树下坐了下来。这时，从天空中飞来了一只白鸽，它将一把金钥匙放在了小女孩的手上，并对她说："你面前的大树上有一扇上了锁的小门，你现在就去用这把钥匙打开它，那里面有你需要的食物。"

小女孩照着白鸽说的话去做了，果然在那扇小门后面找到了美味的牛奶和面包。小女孩痛痛快快地饱餐了一顿后，心想道："要是能有一张软软的床就好了。"

这时，小白鸽又飞过来给了小女孩一把金钥匙，让她去打

小女孩在一棵树下坐了下来

开旁边树上的锁。小女孩在那棵树里面发现了一张又大又软的床。她衷心地感谢了上帝对她的眷顾之后，便躺在床上美美地睡着了。

第二天早上，小白鸽又交给小女孩一把金钥匙，说："去打开后面大树上的锁，你能找到喜欢的衣服。"

小女孩跑过去打开一看——哇！好多公主穿的礼服啊！小女孩穿上这些漂亮的衣服，就像一个公主一样，每天在这只小白鸽的照顾下，快活地在森林中生活下去。

有一天，小白鸽问小女孩："你能帮我办一件事吗？"小女孩毫不犹豫地答道："当然了！"

小白鸽说："一会儿我把你送到一座小房子前面。你会看到那儿有一个老太婆，不管她对你说什么你都不要吭声，直接从她的右边走过去，走进小房子里。那里有数不清的名贵戒指，哪一个你都不要碰，只选一个样式最普通的带回来给我。"

小女孩来到小房子前面，坐在院子里的老太婆看着她说道："你好呀，小姑娘。"小女孩没理她，径直朝着房门走去。

老太婆急忙跑过来拉住她，大声叫道："滚开！不许随便进入我的房子。"

小女孩挣脱了老太婆，来到房子里面。那里面摆着各式各样金光闪闪的戒指。小女孩找了好久，都没找到那枚普通的戒指。这时，她发现老太婆正要把一个鸟笼藏起来，小女孩连忙跑过去夺过鸟笼。果然，小鸟的嘴里正衔着那枚普通的戒指。

小女孩开心地拿过戒指，转身跑了出去。

小女孩拿着戒指跑到了与白鸽约定的地点，可小白鸽并没有出现。小女孩靠在树上，安静地等待着小白鸽。这时，她背后的大树忽然动了起来，小女孩吓了一跳，回头一看，大树已经变成了一个英俊的王子。王子拉着小女孩的手深情地说道："我被你刚才看到的那个老太婆施了魔法，变成了一棵树，每天会有一段时间变成白鸽飞来飞去。只要这枚戒指在老太婆的手中，魔法就没办法解除。是你救了我，帮我恢复了原来的样子，你愿意嫁给我吗？"

小女孩点点头。这时，森林中的树都被解除了魔法，他们都恢复成仆人和马匹的模样。王子抱着小女孩骑上骏马，一起回他的王国去了。从此，他们一直幸福地生活在一起。

魔鬼和他的祖母

很久以前，有一个国王，他发动了一场大规模的战争，很多年轻人应征入伍，国王却只给他们很少的军饷。于是，有三个士兵准备逃走。

一个士兵说："如果被抓住，我们就活不成了，所以必须策划得周密一点儿。"

另一个士兵说："我已经看准了那块玉米地，只要我们躲进去，就肯定不会被发现，况且明天部队就要出发了。"

但事情并没有他们想的那么顺利。他们确实逃进了玉米地里，可已经过去两天了，部队还没有出发。躲在地里的三个人饿得快要受不了了，可他们又不敢出去。

突然，天空中出现了一条火龙，他直奔三个人飞下来，问他们躲在这里做什么。士兵们就把自己的处境告诉了他。

"原来如此。这样吧，如果你们三个人答应七年以后成为我的仆人，我就救你们出去。"火龙说道。

三个人一合计，就答应了。

火龙用龙爪将三个人牢牢抓住，腾空而起，一直飞到一块

火龙将三个人放在了一块空地上

空地上才将他们放下来。其实他并不是什么火龙，而是一个魔鬼。魔鬼拿出三根鞭子交给他们，说："这是三根魔鞭，它们能甩出很多很多金子，以后你们就可以过上荣华富贵的生活了。但是不要忘了，七年之后你们就该成为我的仆人了。"说完，魔鬼把约定写下来让三个人都按了手印。然后他又补充说："到时候我会给你们出一个谜语，如果答对的话，你们就还是自由人。"

三个士兵靠着鞭子过上了富裕的生活。可是，时间过得飞快，眼看着和魔鬼约定的时间就要到了。

其中的两个人急得坐卧不安，可另一个人却轻松地安慰他们说："你们要相信我的聪明才智，我一定可以猜出谜语的。"这时，有一位老太婆向他们走了过来。

"咦，你们为什么愁眉苦脸的呢？"老太婆问道。

三个士兵就把与魔鬼约定的事情告诉了老太婆。老太婆听完了他们的话后，说道："你们派出一个人，从这里走到森林里去，找到一座石头房子。你们得救的方法就在那个房子里。"

那两个着急的人并不相信老太婆的话，所以连动都没动。而那个乐观的人却马上站了起来，往森林中走去。

很快，乐观的人就找到了那座石头房子，他直接走了进去。房子里面有一个老太婆，她就是魔鬼的祖母。她奇怪地问那个士兵为什么要来这里，士兵把之前发生的一切都告诉了她。老太婆走到屋角，挪走了一块大石头，让士兵藏进去，并对他说："你藏好了，等魔鬼回来后，我就问他要给你们出的谜语是什么，你要认真听好了。"

半夜的时候，魔鬼果然来了。祖母问他："你过得好吗？最近又得到了几个人的灵魂呢？"

"过得不怎么样，但有一点还是值得庆贺的，因为我马上就要有三个仆人了。"魔鬼答道。

"你怎么那么有信心呢？"祖母问。

魔鬼狡猾地笑着说："因为我会给他们出谜语，他们一定答不上来。"

老太婆摇摇头，说道："是什么谜语那么难啊，说来听听。"

魔鬼得意地说："在北海那个地方有一只死掉的长尾猿，它的尸体将成为他们三个的烤肉。而他们的勺子是用一头鲸的肋骨做成的，酒杯则是一条空心马腿。这三样东西他们肯定猜不到。"

祖母等魔鬼睡着了，就把那个士兵放了出来，问他道："刚刚魔鬼的话你都记住了吗？"士兵激动地回答道："全都记住了。"

士兵说完，就悄悄地走出了石头房子，找他那两个同伴去了。

等见到另外两个士兵后，他就把他听到的话告诉了他们。三个人高兴得手舞足蹈，使劲儿地抽着鞭子，把金子抽得到处乱蹦。

很快，七年之约到了。魔鬼带着契约找到了那三个士兵，告诉他们说，如果他们猜到了他所说的谜语，他不但会还给他们自由，而且会把鞭子也送给他们。然后，他就问道："如果把你们带到地狱去，会给你们吃一种烤肉，你们能猜出那是什么动物的肉吗？"

一个士兵回答说："是北海那里一只死掉的长尾猿的肉。"

魔鬼暗暗吃惊，但他马上镇定了下来，又问："你们用的勺子是用什么做的呢？"

另一个士兵答："是用鲸的肋骨做的。"

魔鬼气得直翻白眼，他从牙缝中挤出了第三个问题："我敢打赌，这个问题你们就算想破脑袋也想不到——你们喝酒的酒杯是用什么做的？"

第三个士兵说："是用空心的马腿做的。"

魔鬼气得大叫一声，匆匆离去，三个人彻底自由了。有三根鞭子在身边，他们一直过着富有幸福的生活。

一只眼、两只眼和三只眼

很久以前，有一位母亲，她有三个女儿。大女儿只在额头上长了一只眼睛，母亲叫她一只眼；二女儿长了两只正常的眼睛，母亲叫她两只眼；小女儿除了两只正常的眼睛外，在额头上又长了一只眼睛，母亲叫她三只眼。

母亲非常讨厌她的二女儿，她的姐姐和妹妹也不喜欢她，因此她在家里处处受欺负。

一天，母亲只给两只眼吃了少得可怜的一点儿剩饭，就赶她出去放羊了。两只眼孤零零地坐在草地上，想到自己的悲惨生活，不禁失声痛哭起来。可当她无意中抬起头来的时候，她发现身边不知什么时候站了一个女人。这个女人问道："两只眼，是什么事情让你痛哭呢？"

两只眼说："因为我长得跟普通人一样，所以我的母亲和姐妹都讨厌我。她们给我穿最破烂的衣服，还常常不让我吃饱饭，我觉得自己太可怜了。"

这个女人其实是一个女巫。她对两只眼说道："快把眼泪擦一擦吧，我可爱的小姑娘。现在，我来告诉你一个咒语，当你

两只眼抬头一看，发现一个女人正站在自己旁边

感到肚子饿的时候，你就对你的小羊说'小羊小羊咩咩叫，我的肚子饿坏了'，这时，一桌子美食就会立刻出现在你面前。等你饱餐一顿之后，你只要说'小羊小羊咩咩叫，我的肚子吃饱了'，桌子就会消失。记住了吗？"说完，女巫就不见了。

女巫刚走，两只眼的肚子就咕咕叫了起来。她想，正好自己饿了，可以试试女巫的咒语是不是真的有用。想到这儿，她就冲着小羊念道："小羊小羊咩咩叫，我的肚子饿坏了。"她的话音刚落，一张小桌子就在她面前摆好了，桌子上放着好多美味佳肴，还冒着热气呢。两只眼连忙做完祷告，开心地大吃起来。不一会儿，她就吃得饱饱的了。于是，她又念了句"小羊小羊咩咩叫，我的肚子吃饱了"。她的话音刚落，面前的小桌子就不见了。

两只眼转了一个圈，为自己以后不用再饿肚子而感到高兴不已。

晚上，当她回到家里时，对母亲留给自己的剩饭看都没看一眼就去睡觉了。早上出去放羊的时候，她也没像往常一样带上姐妹丢给她的碎面包。

几次之后，姐妹俩起了疑心，因为以前两只眼只要看到一点儿食物就会立刻吃得干干净净，现在她怎么连看都不看了呢？一只眼决定跟两只眼一起去放羊，顺便看看她到底是用什么办法填饱肚子的。

两只眼当然知道一只眼想的是什么。她把一只眼拉到一处阴凉的草地上坐了下来，对她说："一只眼，你累了吧，坐在这儿休息一下吧。"说完，她就轻轻地唱起了摇篮曲："一只眼，你困了吗？一只眼，困了就睡吧！"很快，一只眼就睡着了。

两只眼看没有人再监视她了，就冲着小羊念道："小羊小羊咩咩叫，我的肚子饿坏了。"当食物出现后，两只眼快活地大吃起来。吃完之后，她又念："小羊小羊咩咩叫，我的肚子吃饱了。"食物立刻就消失了。

两只眼把一只眼摇醒，说她们该回家去了。

回到家中，两只眼又没吃饭就去睡了。母亲问一只眼到底是怎么回事，一只眼只好说她在放羊的时候睡着了，根本就不知道发生了什么。

没办法，母亲只好叫来了三只眼，对她说："明天你去跟两只眼放羊，看看她到底吃了什么。"

第二天，当三只眼陪着两只眼去放羊的时候，两只眼当然明白三只眼是干什么来了。她把三只眼拉到一处阴凉的草地上坐了下来，对她说："三只眼，你累了吧，坐在这儿休息一下吧。"说完，她就轻轻地唱起了摇篮曲。可这次两只眼因为一时大意，把歌词唱错了，当她唱完"三只眼，你困了吗？"这句的时候，把下面那句唱成了"两只眼，困了就睡吧"。很快，三只眼就睡着了。可是由于两只眼唱错了，三只眼睡觉的时候只闭起了两只眼睛，额头上的那只眼睛还睁着呢。

　　两只眼以为三只眼已经睡着了，就冲着小羊念了起来："小羊小羊咩咩叫，我的肚子饿坏了。"她等桌子上的食物一出现，就迫不及待地吃起来。等她吃完，她又念了"小羊小羊咩咩叫，我的肚子吃饱了"这句咒语，让食物消失了。躺在一旁的三只眼可把这一切都看得真真切切。

两只眼以为三只眼睡着了，就开始念起咒语来

傍晚时分，两只眼叫醒了三只眼，她们一起回家了。

回到家后，两只眼什么都没吃就上床去睡觉了。三只眼则把母亲叫到一边，说道："我现在终于知道两只眼不饿的秘密了。每次当她饿了的时候，她就会对着小羊念道：'小羊小羊咩咩叫，我的肚子饿坏了。'这时，一张摆满了美味佳肴的桌子会出现在两只眼面前，两只眼就开始大吃特吃起来。等她吃饱了以后，她又会念'小羊小羊咩咩叫，我的肚子吃饱了'。她一念完，摆着食物的桌子就不见了。多亏我多长了一只眼睛，才发现了这个秘密。"

母亲听了三只眼的话，气得都要发狂了，她冲着两只眼大喊道："你居然敢一个人在外面偷吃好吃的，现在，我就让你以后什么都吃不到。"说完，她恶狠狠地操起刀来，冲过去把小羊杀了。

两只眼看到小羊死了，难过地跑出家门，一个人坐在草地上大哭起来。

这时，那个女巫又出现了，她柔声地问道："两只眼，是什么事情让你痛哭呢？"

两只眼哭诉道："我太伤心了，为我准备食物的那只小羊死了，它是被我的母亲杀死的。它不在了，我以后又要挨饿了。"

女巫说："不要难过了，我再教你一个好办法。现在，你就去恳求你的姐妹，让她们把小羊的内脏给你，然后你把它们埋在你家门外，这样便会有好事降临在你头上。"说完，女巫就不见了。

两只眼立刻回到家里，对她的姐姐和妹妹说："亲爱的姐姐、亲爱的妹妹，我想恳求你们，把小羊的内脏送给我，好吗？"两个姐妹听她这么一说，都笑她是个傻瓜，并对她说："随便你吧。"

两只眼拿着小羊的内脏，来到院子里，把它们埋了起来。

第二天早上，母女几个一推开门，发现院子里竟长了一棵美丽又挺拔的苹果树。更奇妙的是，树上的叶子都是银的，而结的苹果都是金的，阳光一照，闪闪发光。母女几个惊叹不已，只有两只眼心里清楚，这棵树一定是小羊的内脏变的。

母亲连忙对一只眼说："我亲爱的女儿，快爬到树上去，给我把苹果摘下来。"

一只眼笨拙地爬到了树上，可每当她伸出手要摘苹果的时候，树枝便从她的手底下弹开了。她折腾了半天，一个苹果都没摘到。

母亲又对三只眼说道："我亲爱的女儿，你的眼睛多，肯定看得更准，快去树上摘苹果。"

于是三只眼笨手笨脚地爬了上去，可她的结果跟一只眼一样，那些苹果就像是故意躲着她似的，她也一个都没摘到。

母亲看着实在着急，就自己爬了上去，可每次当她把手一伸过去，那些苹果就躲开了，她怎么也抓不到。

见此情景，两只眼就对她们说道："我来试一试吧。"

可她的姐妹不屑一顾地冷笑道："哼，你上来也是白搭，两只眼睛的怪物。"

两只眼没理会她们的嘲笑，一直爬到了树的最上面。令人称奇的是，两只眼真的能摘下苹果。她只要一伸手，那些苹果便主动地凑过来，乖乖地落入她的围裙里。母亲见又被两只眼抢了风头，气得够呛，不仅把苹果夺了过去，还对她更不好了。

有一天，母女几个正在摘苹果，远远地跑来了一个骑马的年轻人。

"赶紧躲起来，别让我们跟着你丢脸。"一只眼和三只眼把旁边的一个桶扣在了两只眼身上，并把几个金苹果用脚踢进了桶里。

年轻人很快来到了树下，他长得十分英俊，姐妹俩一看到他就喜欢上了。年轻人问道："这棵树是你们的吗？它长得可真美，如果谁能折下一根树枝送给我，我就什么都答应她。"

一只眼和三只眼听了年轻人的话，连忙抢着说："树是我的！"说完便伸出手去折树枝，可她们忙了半天，却一根都没折到。

年轻人疑惑地说："如果树是你们的，为什么你们连一根树枝都折不到呢？"

待在桶下面的两只眼听到姐妹们说谎，很生气，就悄悄地把几个金苹果从桶下面滚了出来，苹果刚好滚到了年轻人的脚边。年轻人追问姐妹俩这到底是怎么回事。姐妹二人只好说了两只眼的事情，并说她因为长了两只眼睛而不好意思见人。听完姐妹俩的话，年轻人大声叫道："两只眼姑娘，请你出来，我想见见你。"

两只眼真的从桶下面出来了，她的美貌立刻打动了这个年轻人。他深情地说："姑娘，你能帮我折一根树枝吗？"

两只眼点点头，伸出手去，很轻松地就折了一根上面结着好几个金苹果的树枝下来，递给了年轻人。年轻人对她说："亲爱的姑娘，你需要我为你做什么呢？"

"我只想立刻离开这里。"两只眼斩钉截铁地回答道。

年轻人一听，二话没说，就把两只眼抱到了马上，然后带着她一起回到自己的城堡。当天，他们两个人就举行了盛大的婚礼。

眼看着两只眼交了好运，姐妹俩嫉妒得都要发狂了。不过她们还是感到很庆幸，因为现在这棵苹果树完全属于她们俩了，说不定哪天她们也会像两只眼那样交上好运气。

但不幸的是，第二天一早，姐妹俩就发现那棵苹果树已经从院子里消失了。而两只眼早上刚一起床，就惊喜地发现那棵美丽的苹果树长在了城堡的门前。

有一天，城堡门前来了两个叫花子。两只眼亲自拿了一些吃的东西给她们送出来。她无意中打量了一下那两个叫花子，不禁大吃一惊，原来这两个叫花子一个是一只眼，一个是三只眼。自从两只眼离开家以后，她们过得越来越不好，最后沦落到了要饭的地步。两只眼并没有赶走这姐妹俩，而是把她们请进了城堡，给她们梳洗打扮，还让她们吃得饱饱的。一只眼和三只眼对于以前她们虐待两只眼的行为感到十分悔恨，她们真诚地向两只眼道了歉。从此，姐妹俩也留在了城堡里，一家人过上了幸福的生活。

年轻人把两只眼抱上了马

十二个跳舞的公主

很久以前，有一个国王，他一共有十二个女儿。每天晚上，国王都把这十二个公主锁在一间屋子里面睡觉。可是后来，当他早上来给公主们开门的时候，总是发现她们的鞋子磨损得很严重，好像她们跳了一整夜的舞似的。这到底是怎么回事呢？

于是国王诏告全国：如果有人能解开这个谜，那这个人就可以挑一个最漂亮的公主做妻子；但如果他调查了三天都没有结果，那这个人就将被处死。

很快，另一个国家的王子接受了这个任务来到了王宫中。他特意住在了公主们隔壁的房间，这样他就可以随时监视公主们的行动了。谁知，快到半夜的时候，王子实在熬不住，居然睡着了，等他第二天醒来的时候，国王告诉他公主们的鞋子又破了，她们肯定是出去跳过舞了。接下来的两个晚上，王子的监视都以失败告终。他最终落得个被砍头的命运。

后来，又陆陆续续地来了几个年轻人，可他们在三天的期限内也都没有找到答案，以致被砍了头。

有一个受伤的退伍老兵，这时候刚好路过这个国家。一天，他走在树林里面，遇到了一个老太婆。老太婆问这个老兵要去哪里。老兵哈哈一笑，说道："这也刚好是我想问的问题。或者，我应该去找到公主们跳舞之谜的答案，这样我就能留在宫里了，说不定哪天还能坐上国王的宝座呢。"

听了他的话，老太婆连忙点头说："对呀，其实这也很容易。只要你记住别喝公主给你的酒，而且在她们离开的时候，你装作睡着了就行。"说完，老太婆拿出一件斗篷送给老兵，接着说道："穿上这件斗篷，你就可以隐身了，如果你跟踪公主的话，她们无论如何也发现不了你。"

老兵看了看手里的斗篷，决定去碰碰运气。

他来到了宫中，向国王说明了自己的来意，国王很高兴，对他盛情款待。到了晚上，老兵和之前的人一样，住在了公主们隔壁的房间。不一会儿，大公主殷勤地端来了一杯美酒劝他喝下去。老兵把酒偷偷倒掉，却装作已经喝下去的样子，很快就睡着了。大公主回到房间把老兵的表现跟大家一说，大家就开心地大笑起来，她们都认为老兵是来送死的。笑了一阵子之后，公主们开始梳妆打扮起来。

这时，小公主有些紧张地说道："我的心跳得厉害，总觉得有什么不好的事情要发生。"

大公主却毫不在意地安慰她说："别总是担心来担心去的，之前不是也来了那么多人想要打探我们的行踪，结果呢？还不是一个个都送了命。这个老兵啊，还不如他们呢。"

很快，公主们打扮完毕。她们来到隔壁房间，见老兵鼾声如雷，睡得正香，就放心地回到了房间里。大公主来到自己的床前，拍了拍床头，床板突然分开了，下面出现了一道门。大公主走在最前面，后面依次跟着其他公主，她们全都进入了地道内。老兵见状，连忙把斗篷披在身上，跟在公主们的后面进入了地道。

可是，老兵走得太急了，不小心踩到了走在最后面的小公主的裙子。小公主喊道："刚刚有人拉了一下我的裙子。"

大公主回头说道："你别大惊小怪的了，也许是裙子挂在哪里了。"

从地道里面出来，她们就来到了一片幽静的树林里。老兵抬头看了看，发现这里的树叶都是银的。他想，应该留下点儿来过这里的证据，于是就"咔嚓"一声，折下了一根树枝。小公主听到声音吓了一跳，对其他人说："听见了吗？刚刚响起了一个奇怪的声音。"

大公主不耐烦地说道："还能有什么声音呢？一定是王子们发出的欢呼声。"

接下来，他们又来到了第二片树林，这个树林里的树叶都是金的。而到了第三片树林的时候，叶子都变成钻石的了。老兵照例每走进一片树林，都要"咔嚓"一声折下一段树枝当成物证。小公主每次听到这个声音都要胆战心惊地发出疑问，可大公主认准了这个声响就是王子们发出来的。

公主们走下楼梯

十二个公主轻车熟路地走着，径直来到了一个湖畔。在岸边，已经停好了十二只小船，每只小船的船头上都站着一个英俊的王子。十二个公主一到岸边，就分别踏上了一只小船，老兵则跟着小公主上了同一只船。

船到达湖心的时候，王子对小公主说道："今天的船为什么显得格外沉呢，本来每次划得都很轻松，可这次我已经累得满头大汗了。"

小公主答道："也许是天热的关系吧，我也有点儿微微出汗。"

不久，他们就到达了湖对岸。岸边矗立着一座宏伟又豪华的宫殿，里面传来了喧闹的音乐声。王子和公主们一进入宫殿，就迫不及待地跳起舞来。老兵也混在他们中间，可他们一点儿都不知道。老兵想戏弄一下那些公主，所以他在她们每次端起酒杯的时候就提前把酒喝掉了，等公主们往嘴巴里倒酒的时候，才发现酒杯已经空了。小公主吓得够呛，不断地提醒着姐姐们，可大公主则一直怪她太啰唆了。

公主们跳了差不多一夜的舞，她们的鞋子都磨破了，这才让王子们送她们回去。这次，老兵坐的是大公主的船。船到达对岸的时候，大公主告诉王子，她们明天晚上还会来的。

等她们快走出地道的时候，老兵赶到她们前面先出了地道，然后跑回自己的床上，装作熟睡的样子。公主们很快也出来了，她们看到老兵睡得那么死，感到很安心，于是也换好衣服，脱下鞋子各自睡觉了。

公主们在花园里坐下

第二天，老兵对昨天晚上发生的事什么都没说。他想再继续观察两天。于是第二天晚上和第三天晚上，他仍然跟着公主们去找王子跳舞，公主们每次都是把鞋子跳破了才回到王宫里。第三天晚上，老兵还在公主们跳舞的宫殿中拿回了一个金酒杯作为物证。

第四天一早，老兵带上物证信心满满地找到了国王。而那十二个公主都想听听老兵是怎么为自己辩解的，就躲在了门外偷听。

国王问老兵："你知道公主们晚上去了哪里吗？"

老兵答道："她们到了一座地下宫殿，在那里跟王子们跳了一夜的舞。"说完，老兵就把三根树枝和一个金酒杯拿给国王看。

听了老兵的话，国王立刻命人叫来了十二位公主，问她们老兵说的话是不是真的。公主们见实在没办法再隐瞒下去了，只好承认了。

现在，一切都已经真相大白了，国王答应要兑现自己的诺言，于是就问老兵："你想要哪一位公主做你的妻子呢？"老兵想了想，回答说："大公主的年龄和我相仿，我就选大公主吧。"

很快，国王就为老兵和大公主举行了婚礼。据说，后来老兵还坐上了国王的宝座呢。

三位黑公主

东印度的一个小镇被敌人团团围住，敌人扬言，除非给他们六百块钱，不然决不撤兵。于是，镇里的人一致通过决议，能拿出六百块钱的那个人就会被他们拥立为镇长。

镇里有一个穷困潦倒的渔翁，敌人抓走了他的儿子，但给了他六百块钱。老渔翁就把这钱交给了镇上的人，镇上的人又用这六百块钱把敌人打发走了，于是老渔翁就成了这个镇的镇长。镇上的人还下了命令，如果有谁不叫老渔翁为"镇长大人"，那这个人就会被绞死。

再说渔翁的儿子，他被抓走不久，就从敌人的手中逃走了。他走啊走，最后来到了一片森林中。他正走着，突然地面向两旁裂开了，一个到处充满黑气的黑城堡出现在他面前。这时，有三个一身漆黑的公主向他走来，她们说自己被人施了魔法，只有渔翁的儿子才能救她们。渔翁的儿子问道："我该怎么做呢？"公主回答："你只要在这里住上一年，不说话、不看我们，我们就得救了。"渔翁的儿子想了一下说道："好的，我答应你们。但是，在那之前我得先回家看看。"公主们让他一个礼拜

一座黑城堡出现在渔翁的儿子面前

之后必须回来。说完就给他带上一袋金币，送他回了东印度。

　　渔翁的儿子向人打听他父亲的下落，可是大家都告诫他说，他打听的那个人已经是镇长了，必须要恭敬地称他为"镇长大人"，否则就会被绞死。渔翁的儿子不相信他们的话，说他就是个渔翁，根本不是什么"镇长大人"。于是他就被抓了起来。

　　当他被送到绞刑架上的时候，他对着法官大叫道："我是渔翁的儿子，难道你们认不出来了吗？"法官听了他的话，连忙把镇长大人找来，渔翁一眼就认出了自己的儿子。他被无罪释放了，跟着渔翁回到了家里。

　　他把自己的经历跟父母详细地讲了一遍。当母亲听他说在黑城堡看到了三个黑公主的时候，不禁大吃一惊，急忙对他说道："这可不是好兆头，要有祸事降临在你的头上了。"说完，她交给儿子一根能降魔的蜡烛，让他回到黑城堡后将蜡油滴在黑公主们的脸上。因为只有这样，才能将黑公主的魔力封住。

　　渔翁的儿子战战兢兢地回到了黑城堡，刚巧三个黑公主正在睡觉。他点燃了蜡烛，轻手轻脚地走到黑公主们的身旁，分别将蜡油滴在了三个公主的脸上，三个公主的身体立刻变成了白色。

　　三个公主被蜡油烫醒了，当她们明白过来是怎么回事的时候，气得嗷嗷大叫："你这个该死的家伙，看看你做的好事，现在我们的魔力全都消失了。但你别得意，我们还有三个哥哥，他们很快就会找到你，到时候一定把你碎尸万段……"

　　渔夫的儿子越听越害怕，还没等她们说完，就从城堡的窗户跳了出去。他刚一出来，黑城堡就向下沉去，"轰隆"一声，地面再次合拢，黑城堡消失了。渔夫的儿子虽然把腿摔断了，但他保住了性命。

星星银元

很久以前，有一个善良的小姑娘。在她还很小的时候，她的父母就死了，一直以来都没人照顾她。她手里拿着一块别人施舍给她的面包，在外面流浪着。

她走着走着，遇到了一个穷苦的人。那个人虚弱地对她说："我太饿了，能给我一点儿吃的吗？"小姑娘毫不犹豫地将面包送给了他。

她继续往前走，这时一个颤抖着的小男孩向她走来，对她说："我好冷啊，能把你的帽子给我戴吗？"小姑娘立刻把帽子摘了下来，给小男孩戴在头上。

没过一会儿，小姑娘在路上又遇到了一个小女孩。小女孩对她说："我要冻死了，能把你的外套送给我吗？"小女孩连忙脱下了外套披在小女孩身上。

她继续走，碰到了一个乞丐，又把自己的马甲送给了他。

当她走进树林里的时候，她的身上就只剩下一件背心了。这时，一个光着上身的小男孩走了过来，向她要一件背心。小姑娘想："反正这里也没有人，不穿背心也没有关系。"想到这儿，她就脱下背心送给了小男孩。

　　小姑娘冻得将两只胳膊抱在一起，正不知道该往哪里走的时候，天上突然掉下了很多沉甸甸、亮闪闪的银元，叮叮当当地落在了地上。小姑娘突然发现自己身上多了一件崭新、漂亮的外套。她把地上的银元捡起来放进口袋里，从此以后，她口袋里的银元再也没有用完过。

天上掉下来很多亮闪闪的银元

小 毛 驴

很久以前，有一个国王和王后虽然过着富足的生活，但美中不足的是他们没有孩子，他们感到很伤心。

后来，王后终于怀孕了，这让她欣喜若狂。可谁知，最后王后生下来的居然是一头小毛驴。王后伤心欲绝，她对国王说："我想要的是孩子，给我一头毛驴有什么用呢，不如把他丢到河里去喂鱼吧。"国王却说："这是上帝赐给我们的礼物，不管他是不是个孩子，将来都是我的继承人。"

渐渐地，小毛驴被养大了。他长着细长的耳朵，十分活泼，总是跑跑跳跳的。他非常喜欢音乐，于是就找了一位乐师，并对乐师说："我想学弹琴，你能教我吗？"

乐师摇摇头，为难地说："小王子，你的手指实在太粗了，怎么可能弹得了细细的琴弦呢？"

可是小毛驴根本就不相信他说的话，非要学弹琴不可。经过一番勤学苦练，小毛驴的琴弹得居然超过了乐师。

有一天，小王子在花园里散步，见前面有一口井，他就跑了过去。当他向井里俯身看去时，一个驴子的身影倒映在了水面上。这是他第一次看到自己的模样，这副面孔让他感到很沮丧。于是他就带上自己的仆人离开了王宫，远走他乡。

后来，他流浪到了另一个国家，这个王国的国王已经很老了，而他只有一个貌若天仙的女儿。

小王子说："我们就住在这儿吧。"说完，他就让仆人去敲城门。

守城门的人明明看到他站在外面，却没给他开门。于是小王子把琴拿出来，坐在地上开始用心地弹了起来。优美的琴声让守门人惊讶得睁大了眼睛，他连忙跑去向国王报告："外面来了一头会弹琴的驴子，他弹得居然比乐师还棒。"

国王让守门人把驴子带来见他。

驴子又当场弹奏了一支乐曲，所有人都赞不绝口。他们让驴子和仆人们一起吃饭，但驴子却说："我是王族，怎么可以和仆人一起用餐呢？"

大家就说："那好吧，你就去跟武士们坐在一起吧。"驴子摇摇头说道："我应该跟国王一起坐才对。"

国王听了他的话，点头微笑。"真是头有个性的小毛驴。就听你的，过来和我一起坐吧。"说完，国王又指着自己的女儿问道，"你看看，我的女儿长得怎么样？"

驴子看了看公主，回答说："公主的美貌天下无双，没有人能比得上。"

"你的眼光不错，我允许你坐在她旁边用餐。"国王说道。

驴子对国王表示了感谢，然后就坐到了公主身边。驴子吃东西的时候目不斜视、举止文雅，表现出了良好的教养。

驴子在王宫中住了一段日子，他觉得这里和家里没什么分别，于是就去向国王辞行。

国王非常喜欢这头小毛驴，很舍不得他离去，于是就问道："看你垂头丧气的样子，小毛驴，你有什么为难的事尽管告诉我，你是想要金银财宝吗？"小毛驴摇了摇头。

"那你是想要华丽的礼服吗？"国王又问。小毛驴还是摇了摇头。

"那这样吧，我把我的国家分给你一半。"国王说道。

"不不，我想要的不是这个。"小毛驴摆摆手说道。

国王认真地想了想，突然说道："那么，我就把我的女儿嫁给你吧。"小毛驴一听，高兴地叫了起来："是的，这才是我想要的。"

国王当天就给他们举行了隆重的婚礼。晚上，当新郎和新娘回房间的时候，国王有些替自己的女儿担心，就让仆人躲在门外偷听新郎和新娘的对话。

当小毛驴把门从里面关上的时候，他见这里没有外人了，就把身上的驴皮脱了下来，摇身一变成了一个英俊的年轻人。

公主看到他的变化，欣喜地扑到了他的怀里，激动地说道："啊，没想到我的丈夫这么英俊潇洒，我真是太幸福了。"

第二天早上，年轻人一起床就立刻披上驴皮，帅气的小伙子又变成了一头小毛驴。

当国王见到女儿的时候，抱歉地对她说道："女儿啊，父王委屈你了，没能让你嫁给一个让你满意的丈夫……"

女儿连忙打断了父亲的话，说道："父王，我对我的丈夫很满意，他是世界上最英俊的小伙子。"

国王对公主的话感到很惊奇，等女儿走后，他就把昨晚躲在门口的仆人叫来。仆人把他听到的一切都告诉了国王。国王摇摇头，表示这件事令他难以置信。

公主对自己的丈夫很满意

　　仆人说道："陛下，您今晚可以亲自去看看，等他脱下驴皮的时候，你就把它带走，然后丢在火里烧掉。没有了驴皮可穿，他一定会恢复人形的。"国王认为这个主意很妙，便点头同意了。

　　等晚上公主和她的丈夫睡熟了，国王就悄悄走进了他们的房间。他看到公主的旁边果然躺了一位英俊无比的小伙子，而地上还有一张脱下来的驴皮。国王拿起驴皮轻轻地走出了房间，并让仆人们将它拿去丢在火里烧掉了。

　　第二天一早，小伙子醒来后急忙下地想要穿上驴皮，可他怎么找都没有找到，他焦急地说道："驴皮不见了，我必须马上逃走。"

　　可他刚一走出房门，就迎面碰上了国王。国王诚恳地说道："我亲爱的女婿，你这是要到哪儿去呢？你长得这么英俊，大家一定会更喜欢你现在的样子。你就留在这里安心地生活吧，我以后还要把这个国家交给你继承呢。"

　　年轻人想了想，点头答应了国王的恳求。

　　一年以后，老国王死了，年轻人继承了王权，当上了这个王国的新国王。又过了几年，他的父亲也在临终前把王国交给了他，于是他成了两个王国的国王，有享不尽的荣华富贵。

少女玛琳

从前有一个王子，他想向一个强大国家的公主玛琳求婚。但玛琳的父亲根本就瞧不起这个王子，所以拒绝了他的求婚，

王子来向公主玛琳求婚

并准备把公主嫁给别人。但是，王子和公主早已私订终身，玛琳坚决地对父亲说道："除了王子，我谁都不嫁。"

听了玛琳的话，国王气坏了，他命人修建了一座坚固的高塔，而且塔上一扇窗户都没有，里面黑得伸手不见五指。国王在把玛琳关进黑塔之前，对她说道："你就在里面好好反省反省吧，七年之后，我再来问问你还想不想嫁给王子。"

玛琳和侍女被关进黑塔之后，塔的入口就被堵死了。黑塔里除了放着她们七年中要吃的食物之外，什么都没有。玛琳每天只能静静地坐在黑暗中，什么都干不了。而王子则每天站在塔外，不停地呼唤着玛琳的名字。但是黑塔的墙壁那么厚，玛琳又怎么能听得见呢？

在塔里面根本不知道时间过去了多久，玛琳只能凭借着剩余的食物来计算时间。玛琳见食物只剩下几天的量了，便知道七年的时间马上要到了，可左等右等都不见父亲派人来接自己。玛琳想，可能父亲已经把自己给遗忘了，她就对侍女说道："看来，我们只能自己想办法出去了。"

于是玛琳拿起餐刀在墙壁的石头缝上划了起来，石头缝里的泥土一点点地掉落下来。玛琳和侍女轮流挖着石缝，她们用了很长时间才挖下来一块石头。在她们坚持不懈的努力下，三天后，外面的第一缕阳光终于从她们挖开的小洞里照进了黑塔。玛琳一下子看到了希望，她更加卖力地挖了起来，缺口不断地在扩大。最后，玛琳和她的侍女终于从她们挖的孔洞里面钻了出来，跳到了地面上。外面的天好蓝啊，风也暖暖的。她们却难过地发现，玛琳父亲的王国已经被敌人占领了，国王也遭到了流放。

没办法，玛琳公主只好带着侍女去别的国家求生了。在路上，她们忍饥挨饿，只能用荨麻来充饥。最后，她们终于来到了一个陌生的国家，她们希望能找到一些活计来维持生活，可是问了很多人家，都没有人愿意雇用她们。

想来想去，玛琳公主带着侍女来到了都城，她们希望能在王宫里找到一份工作。终于，好心的厨师留下了她们，让她们在厨房里帮忙。

无巧不成书，玛琳来到的这个国家的王子，正是她当年的恋人。可是，王子的父亲已经为他安排了另一门亲事，并且婚期已近。这个新娘已经搬来王宫里住了，因为她长得奇丑无比，所以躲在房间里不肯出来见人，每到吃饭的时候，都由玛琳把饭给她送到房间里去。

举行婚礼这天，新娘怕自己丑陋的面容会遭到大家耻笑，于是就对玛琳说道："现在你有一个穿婚纱的机会，因为我脚扭了，不能和新郎一起去教堂了，所以你来代替我，穿上我的礼服去和新郎举行婚礼吧。"

可玛琳公主却拒绝说："不，我不能那样做，这又不是我的婚礼。"

新娘便拿出金钱作为利诱，玛琳丝毫不为所动。新娘露出了凶恶的嘴脸，恶狠狠地说："如果你不按我说的去做，我就立刻要了你的命。"

无奈，玛琳只好屈服了。当她穿上华丽的婚纱，戴着名贵的首饰走进宫殿的时候，所有人都被她的美貌惊呆了。

国王对王子说："这就是你的新娘，现在带着她去教堂吧。"

王子盯着新娘的脸，愣住了，他想："这个姑娘怎么长得跟玛琳这么像呢？但这不可能是她，因为玛琳现在还被困在黑塔里没出来呢。"

在父亲的催促下，王子拉着玛琳的手向教堂走去。在路上，玛琳看到了一株荨麻，于是她说道：

荨麻呀荨麻，

可爱的小荨麻，

你看起来真孤单，

看到你我就想起，

我来不及煮熟你，

就把你整个吞下。

"你说什么？"王子问道。

"看到荨麻我就想起了少女玛琳。"玛琳回答。

王子没听清她说什么，但也没追问，就拉着她的手走上了一座独木桥。玛琳又说道：

> 独木桥呀你不要断，
> 我不是真正的新娘。

"你说什么？"王子问。

"看到独木桥我就想起了少女玛琳。"玛琳回答道。

"你认识玛琳吗？"王子激动地问。

"不认识，我听别人跟我说起过她。"玛琳回答说。

当王子挽着玛琳的手来到教堂门口的时候，玛琳说：

> 教堂的门呀你不要塌，
> 我这个新娘是假的。

"你说什么？"王子问。

"我想起了少女玛琳。"玛琳回答。

王子站在教堂门口，从口袋里拿出一条金光闪闪的项链，给玛琳戴上。然后，两个人来到牧师面前站好，牧师宣布两个人已经正式结为夫妻。随后，两个人又一起返回了王宫。

玛琳一回到王宫，立刻跑进了真正新娘的房间，把婚纱脱了下来，换上了自己平时的衣服，但是王子给她戴上的那条项链，她却忘了摘下来。

王子挽着玛琳的手走进教堂

　　天黑了下来，王子带着新娘走进新房，由于新娘的头上蒙着一块丝巾，所以王子看不到新娘的脸。他问道："在去教堂的路上，你曾经对荨麻说过什么？"

　　"荨麻？我怎么可能对荨麻说话呢！"新娘回答道。

　　"你自己说过的话都会忘掉，那你一定是假新娘。"王子大声说。

　　"呃，我的记性不太好，不过我的侍女总会帮我记着这些事，我去问问她。"新娘说道。

　　新娘连忙跑到厨房，找到了玛琳，她急切地问道："喂，在去教堂的路上你对荨麻说过什么？"

　　"我对荨麻说：

　　　　荨麻呀荨麻，

　　　　可爱的小荨麻，

　　　　你看起来真孤单，

　　　　看到你我就想起，

　　　　我来不及煮熟你，

　　　　就把你整个吞下。"

　　新娘把这些话记在心里，忙跑回新房，把这些话对王子复述了一遍。

　　"那么，当我们过独木桥的时候，你又说了什么？"王子接着问道。

"独木桥？我怎么可能对独木桥说话呢！"新娘答道。

"你自己说过的话都会忘掉，那你一定是假新娘。"王子大声说。

新娘连忙说："呃，我忘了，等等我，我马上去问问我的侍女。"说完，她又跑去找到了玛琳，怒气冲冲地问道："该死的丫头，你对独木桥到底说了什么？"

"我对独木桥说：

独木桥呀你不要断，
我不是真正的新娘。"

"你给我等着瞧！"说完，新娘赶忙又跑回新房里，把刚刚玛琳说的话对王子说了一遍。

"那进教堂之前，你又对教堂的门说了什么？"王子问道。

"教堂的门？我怎么可能对教堂的门说话呢！"新娘回答。

"你自己说过的话都会忘掉，那你一定是假新娘。"王子大声说。

新娘没办法，只好又去找玛琳了，她怒不可遏地问玛琳："臭丫头，你到底又对教堂的门说了什么？"

"我对教堂的门说：

教堂的门呀你不要塌，

我这个新娘是假的。"

"我一会儿回来要你好看。"新娘气急败坏地对玛琳说道。然后，她就跑回了新房，又把刚刚玛琳的话对王子复述了一遍。

"那么，我在教堂的门口给你戴了一条项链，我怎么没在你脖子上看到呢？"王子问道。

"项链？你什么时候给我戴过项链啊？"新娘说道。

"是我亲手给你戴上的，你连这个都不知道，可以肯定，你就是假新娘。"说到这儿，王子一把掀开了蒙在新娘头上的丝巾。突然，一张丑陋无比的面孔出现在王子的眼前。他被吓得倒退了好几步，惊恐地说道："你……你到底是谁？"

"我才是你的新娘啊，因为我怕人笑话我长得丑，所以就让一个女仆替我去教堂跟你举行婚礼，她才是假新娘呢。"新娘委屈地回答道。

"那个女仆现在在哪儿？马上让她来见我。"王子急切地说道。

新娘跑了出去，她狠毒地命人把玛琳从厨房拖到院子里杀掉。玛琳知道新娘要害她，所以在被拖走的时候，她拼命地呼救。王子在房间里听到了呼救声，连忙跑到了院子里，他一眼就看到了女仆脖子上那条他亲手给她戴的项链。

"这才是我的新娘，是她跟我一起去教堂举行的婚礼，现在只有她才有资格跟我一起进入新房。"王子说道。

　　王子带着玛琳回到了新房里，他深情地对她说："我曾经有一个未婚妻，她的名字叫玛琳。我非常爱她，她跟你长得一模一样。现在，你能告诉我，你和她是一个人吗？"

　　玛琳眼含热泪地回答道："是的，我就是玛琳。为了和你在一起，我被父亲囚禁在黑塔之中；为了和你在一起，我足足忍受了七年的等待和痛苦。现在，我终于来到了你的身边，并且我还和你在教堂里举行了婚礼。我太开心了，因为我已经真正成为你的妻子了。"

　　王子把玛琳紧紧地拥进怀里，不停地亲吻着她的额头。有情人终成眷属，从此他们幸福地生活在了一起。而那个丑新娘，也因为她的恶行受到了应有的惩罚，她被推上了绞刑架。

　　那座曾经囚禁玛琳的大黑塔一直矗立在玛琳原来的国家里，每当孩子们去那附近玩耍的时候，他们总会唱道：

　　　　当当当，当当当，

　　　　高塔黑黑暗无光，

　　　　少女玛琳把心伤，

　　　　石头厚厚推不动，

　　　　密不透风是高墙。

　　　　当当当，当当当，

　　　　小汉斯呀穿新装，

　　　　别掉队呀快跟上。

智者神偷

很久以前，有一个农夫和他的妻子正坐在自家的茅草屋前休息。突然，一辆由四匹马拉的豪华马车从远处飞奔而来。马车停下来，从车上下来一个看起来十分高贵的人。农夫连忙迎了上去，问自己能为他做些什么。高贵的人摇摇头说道："我不需要你特别为我做什么，你只要做一顿你平时吃的饭菜给我，我就会感激不尽的。"

农夫哈哈大笑，说道："我明白了，你的身份一定很尊贵吧？因为我这里曾经来过很多个伯爵或者侯爵之类的大人物，他们都会提出像你一样的要求。"

农夫的妻子走到厨房里，拿出一些土豆，洗干净后，切碎并揉成团子，放在锅里蒸起来。

这时，站在院子里的农夫对那个高贵的人说道："我们一起去花园里吧，我有些活儿还没干完。"

他们来到了花园，园子里已经挖好了一些坑，农夫准备把一些小树栽进去。

"你有孩子吗？他们为什么不帮你干活呢？"高贵的人问道。

"我以前倒是有一个儿子，可他太不争气了，虽然人很聪明，但是每天都因为要做一些无聊的事情而浪费时间，结果到后来一事无成。不过，他最终还是离开了我们，离家出走了，此后我们一直都没有他的消息。"

说完，农夫拿来一棵小树，放进坑里，然后又在小树的旁边立上树桩，再把小树和树桩紧紧地捆在一起，最后把土填进坑里踩实。

"可是，"高贵的人说道，"那边有一棵弯曲得厉害的小树，你怎么不给它绑上树桩呢？"

农夫摇摇头说道："这你就不懂了，那棵弯曲的树树龄已经很长了，树上长满了树节，也就是说它的形状已经不能再改变了。如果想让一棵树长得直直的，就要从它还是一棵小树的时候培养起。"

"这跟你儿子的情况恐怕是一样的，在他小的时候你没有好好地管教他，等到他长大了，身上已经长满了像树节一样的东西，他的坏习惯很难被纠正了，所以才会离家出走。"

"我想是这样的。"农夫点点头回答道。

"如果你儿子现在站在你的面前，你能认出他来吗？"高贵的人问道。

农夫摇摇头说道："如果单单凭着外貌来辨认的话，估计是认不出来了。不过，在我儿子的肩膀上，有一块蚕豆大小的胎记。"

农夫的话音刚落，高贵的人就已经把上衣脱掉，展现在农夫面前的，正是他肩膀上那块蚕豆大小的胎记。

"天哪，你真的是我的儿子吗？"老农夫失声喊道。他埋藏在心里的舐犊之情一下子被呼唤了出来，不过很快他又说道："可是，你的身份这么尊贵，怎么可能是我的儿子呢？"

"哦，爸爸，您说得对，如果不给小树打桩，它就会长得歪歪扭扭。我就像那棵弯曲的老树一样，再也伸不直了。所以，我并不像您想的那样是一个什么尊贵的人，事实上，我是一个小偷。而且，我的偷盗技巧非常高超，没有什么锁头能锁住我想要的东西。但是有一点我要说明的是，我偷的都是有钱人的财物，那些穷人的东西我向来碰都不碰，并且我还会用偷来的钱去帮助那些穷人。"

农夫难过地说道："可是，小偷总不是一个光荣的职业，他们迟早要受到惩罚的。"

农夫把儿子带到了妻子的面前。得知眼前站着的这个衣着高贵的人就是自己的儿子时，母亲高兴得哭了起来。可当她得知儿子是一个小偷的时候，她沉默了半晌都没有说话，但最后，她还是小声地嘀咕道："不管他做了什么坏事，他终究还是我的儿子。"

土豆团子做好了，一家三口围着桌子吃了起来。神偷已经好久没吃过家里的饭菜了，所以他吃得格外香。这时，农夫对儿子说道："如果被你的教父伯爵大人知道你的身份，他一定会毫不留情地把你推上绞刑架的。”

“爸爸，您就别担心那么多了，他别想碰我一个指头。今天晚上，我就准备去见一见他。”儿子说道。

傍晚，神偷坐上了他那四匹马拉的马车来到了伯爵大人的城堡。伯爵大人一看他的气派，还以为他是什么大人物呢，便隆重地接待了他。可当他把自己的身份对伯爵大人坦白之后，伯爵的脸一下子变得惨白惨白的。过了许久，沉默的伯爵大人才开口说道：“作为你的教父，我不能毫不留情地对待你，所以我要给你一个机会。既然你说自己是神偷，那就展示一下你的本领吧。如果事实不像你说的那样，就别怪我无情了，等待你的只有绞刑架上的绳索。”

“没问题。”神偷回答道，“那么教父，就请您给我出三道难题吧。如果我技艺不佳，任凭您处置。”

伯爵认真地想了一下，然后对神偷说：“第一件事，你要把我的马从我的马厩里偷出来；第二件事，在我和我的妻子睡觉的时候，你要把我们身下铺着的褥子和我妻子手上戴的戒指偷出来；第三件事有点儿难度，那就是你要到教堂去，把牧师和他的执事偷出来。接下来，就看你的本事了。”

首先，神偷跑到了城里，他买了一身老妇人的衣服穿在身上，然后又买了一桶美酒，并在酒里放上了麻醉药。他先用油彩把自己的脸涂成了褐色，最后，他又细细地给自己的脸画上皱纹。等这一切都准备好了以后，他就迈着蹒跚的步伐回到了伯爵的城堡。他来到马厩附近，坐在一块大石头上剧烈地咳嗽起来，一边咳嗽，他还一边怕冷似的使劲儿搓着双手。

马厩前有几个正在那里把守的士兵。他们看到了坐在一旁的可怜的老妇人，其中一个士兵大声喊道："老婆婆，你是不是冻坏了？快过来烤烤火吧。看你的样子应该是个无家可归的乞丐，你今晚就在马厩里对付睡一宿吧。"

听了士兵的话，神偷慢腾腾地走了过去。他把手里拿的酒桶放在一旁，伸出手去烤火了。

"你的桶里是什么？"一个士兵问道。

"里面装的是美酒，"神偷故意哑哑嘴回答道，"非常美味，让人喝了停不下来。你要不要尝尝看？"

"好，我来尝一尝。"那个士兵说完，神偷就给他倒上了一杯酒。士兵喝完后，觉得酒真的很好喝，就让神偷给他倒第二杯。其他士兵见他喝得津津有味的，也连忙围过来要酒喝。

等外面的士兵喝得差不多了，神偷又拎着酒桶来到了马厩里。他看到马厩里一共有三个士兵，他们一个坐在马鞍上，一个手里牢牢地抓着缰绳，另一个则死死地抓着马尾巴。

神偷殷勤地把桶里的酒倒出来给他们喝。很快，酒桶里的酒就见底了。这时，那个手抓缰绳的士兵把手垂了下来，沉沉地睡了过去；抓着马尾巴的士兵躺在了地上，并发出了雷鸣般的鼾声；而骑在马鞍上的士兵虽然没有掉下来，却也趴在马背上睡得不省人事了。神偷又扫了一眼院子里的士兵，见他们个个都睡得很死，一动不动地躺在地上。

神偷见马厩里里外外的人已经没有一个是清醒的了，就恢复了他原来的样子。他拿了一根绳子，塞在那个抓缰绳的士兵手里，又在抓着马尾的士兵手中塞了一把稻草。这样马的缰绳和马尾就被替换了出来。可对那个在马鞍上坐着的士兵该怎么办呢？既不能把他挪下来，又不能带着他一起走。这时，神偷看看头顶的吊环心里有了主意。他找来四根绳子，把每根绳子的一端都拴在了吊环上，另一端则拴在马鞍的四个角上，然后他把马鞍从马肚子上解了下来。当他把马赶走的时候，马鞍就被吊在了吊环上，而上面的士兵还在呼呼大睡呢，一点儿要醒的意思都没有。为了不让马蹄声吵醒士兵们，神偷又用破布把马蹄包上了。做完这一切，神偷把马牵到了马厩的外面，然后飞身上马，疾驰而去。

天亮的时候，神偷刚好来到城堡的院子里。当伯爵从窗户向院子里张望的时候，神偷向他喊道："早安啊，伯爵大人，你要的马我已经给你送来了。不过不要担心你那些把守马厩的士兵们，他们睡得正香呢。"

伯爵哈哈大笑道："好吧，这次且算你奸计得逞。不过，下次你可就没那么幸运了，看好自己的脑袋吧。"

晚上，当伯爵和妻子躺在床上的时候，他看到妻子紧张地握着手上的戒指不敢睡，就安慰妻子说："别担心，不会有什么事的。我今天晚上一夜不睡，就在这里等他自投罗网，只要他一出现，我就开枪打死他。"

这时，神偷已经来到了野外的刑场，他偷偷地爬到了绞刑架上，割断绳索，吊在上面的死囚就掉了下来。神偷扛起死囚的尸体回到了城堡里。他在伯爵卧室的外面架起了一架梯子，然后背上尸体顺着梯子往上爬。就在他要爬到卧室的窗口时，他把尸体的头先送了进去。这时，就听"砰"的一声枪响，尸体的头部挨了一枪，神偷顺势把尸体扔到地上。然后，他迅速地爬下梯子，在一个角落里躲了起来。不一会儿，只见伯爵从窗口向下面张望了一下，然后也顺着梯子爬了下来。他扛上尸体就向花园里走去，准备把尸体埋在那里。

神偷觉得这是个绝好的机会，于是从角落里走了出来，顺着梯子爬进了卧室。他模仿着伯爵的声音对伯爵夫人说道："夫人啊，那个小偷已经被我开枪打死了。可是，他毕竟是我的教子，如果将他的罪行公之于众，我的脸上也没有光啊。我想了想，还是把他悄悄地在花园里掩埋起来吧，你给我一条褥子，我把他的尸体裹起来，这样还会让他体面一些，也算我对得起他的父母了。"于是，伯爵夫人把她睡着的那条褥子拽了出来递给了神偷。

神偷又开口说道："唉，这个人是因为偷你的那枚戒指而丧命的，想想就觉得那枚戒指很不吉利。你把戒指给我吧，一会儿我直接丢在坟墓里一起埋掉。"

伯爵夫人想了一下，觉得丈夫说得很有道理，就把戒指摘下来递给了神偷。神偷心里简直乐开了花，他马上带着这两样东西离开了城堡。而这时候，伯爵大人还在花园里挖坑呢。

第二天一早，神偷把褥子和戒指给伯爵大人送回来了。伯爵看见他大吃一惊，说道："你明明已经被我埋进了坟墓里，又是怎么跑出来的啊？难道你会魔法不成？"

"哈哈哈，躺在坟墓里面的那个倒霉蛋可不是我，"神偷大笑着说，"那只是一个被绞死了的囚犯。"然后，神偷原原本本地把昨天他偷东西的经过告诉了伯爵。

伯爵虽然心里也很佩服神偷的聪明机智，但嘴上却说："可还剩下一件事你没办呢，所以别高兴得太早了。"神偷轻松地笑了笑，离开了城堡。

等天黑透了的时候，神偷背着一袋子螃蟹，挎着一包蜡烛来到教堂的门前。他把这两件东西放在地上，从袋子里拿出一只螃蟹，然后点燃蜡烛，在螃蟹的背上滴上蜡油，再把蜡烛放在上面。就这样，他忙活了好一会儿，直到每一只螃蟹的背上都插上了蜡烛。然后，他又从包裹里取出了一件神父穿的外衣披在身上，又在下巴上粘上白胡子，走进教堂，站在了神坛上。

这时，午夜的钟声敲响了，神偷忽然扯着嗓子大叫起来："你们，要认真地听我把话说完。我，就是守卫去往天堂之门的彼得。今晚，是地球灭亡前的最后一夜，看吧，所有的尸体已经开始四处游荡。如果你想和我一起升上天堂，就立刻行动起来吧，拿起那些走动的尸骨，钻进我身边的袋子里面来，我会带你们一起走！"这凄厉的声音在夜空中回荡着。

　　住在附近的牧师和执事听见了这恐怖的声音，他们连忙从家里走出来，向教堂的位置张望着。这时，他们能看到教堂的周围鬼火重重，不由得害怕起来。执事用颤抖的声音对牧师说道："听见了吗？地球末日马上就要来了，如果能趁此机会升上天堂，岂不是一件很完美的事情吗？"

　　"嗯，其实我也是这么想的，那我们一起走吧。"牧师说道。

牧师和执事

牧师和执事一前一后地走进了教堂，来到了神坛前。他们看到地上果然放着两只袋子，就分别钻了进去。神偷立马走过去把袋口给扎紧了，然后拖着袋子向外面走去。

当他下楼梯的时候，他就冲着上下颠簸的袋子说道："我们正在翻越陡坡呢。"

当他拖着袋子走在泥塘上面时，他就冲着袋子说："我们已经飞到了天上。"

当他把袋子拖上了城堡的台阶时，他就冲着袋子说道："我们已经到达了天堂的入口。"

等他走进城堡，便把袋子扔进了鸽子窝里，鸽子们吓得扑棱棱地从里面飞了出来。他对着袋子说道："天使们非常欢迎你们的到来，听，他们正挥舞着翅膀呢。"然后，他就把鸽子窝的门锁上，离开了城堡。

第二天一早，神偷来告诉伯爵大人，他已经完成了第三件事。

"他们在哪儿呢？"伯爵怀疑地问道。

"在鸽子窝里面，也就是在他们心中的天堂里。"神偷回答。

伯爵大人连忙跑到鸽子窝那儿，把袋子打开一看，牧师和执事果然在里面躺着呢。他转过身对神偷说："你已经证明了你通天神偷的本事，你赢得了这场比赛。我不会给你任何惩罚，但是你必须远远地离开这里，而且从此以后不要再踏上这片土地。"

通天神偷在与自己的父母告别之后，就向更广阔的天地里走去了，从此再也没回到过这里。

真 新 娘

很久以前，有一个美丽的小姑娘。在她很小的时候，她的母亲就死了，她是在她继母的身边长大的。她的继母是一个十分恶毒的女人，总是想尽办法折磨这个小姑娘。小姑娘非常能干，总是尽一切努力想让继母满意，可换来的却是继母给她更多的工作。于是，小姑娘的手边就总有永远也干不完的活儿。

这天，继母对小姑娘说："这是十二磅的羽毛，你的任务是把绒毛全部拔下来。如果到晚上你还没做完，我就扒了你的皮。"

小姑娘开始干活了，她一边干一边流眼泪，因为她很清楚，这么多的工作，到了晚上她是无论如何也做不完的。每当她拔出一小堆羽毛，就会叹一口气，这样羽毛就会被吹到地上，她就得弯下腰把它们捡起来再接着干。

忽然，小姑娘身旁响起了一个声音："亲爱的孩子，你有什么不开心的事吗？说出来，我可以帮助你。"小姑娘抬头一看，发现一位慈眉善目的老婆婆站在自己的身边。

看到老婆婆这么慈祥地看着自己，小姑娘感觉非常亲切，她就把一肚子的苦水向老婆婆倒了出来。最后，她说："继母说了，如果到晚上我还没拔完这些羽毛，她就扒了我的皮，我知道她是认真的。"说完，小姑娘哭了起来。

老婆婆轻轻抚摸着小姑娘的头说："孩子，去旁边歇一会儿吧，我来帮你干。"

小姑娘太累了，她躺在床上不知不觉地睡着了。再看那个老婆婆，她的手根本就没碰那些羽毛，羽毛却自动与毛梗分开了，十二磅的羽毛全部拔好只用了几分钟。等小姑娘睡醒的时候，她发现拔好的羽毛已经装在了袋子里，屋子里也被整理得整整齐齐的。她立刻闭上眼睛，感谢上帝帮助了自己。

晚上，当继母回来的时候，她发现小姑娘的工作已经全部完成了，不禁气哼哼地说："懒惰的家伙，这次完成得这么快，也正说明你以前干活都是在偷懒。现在，赶紧再去做别的工作，别在那儿傻坐着。"说完，她心里暗下决心，下次一定要给小姑娘更多更难的活儿。

第二天一早，继母递给小姑娘一把小勺子，对她说："今天，你要用它把花园中那个池塘里的水舀干净，如果到晚上你还没干完，你就等着挨打吧。"

小姑娘仔细一看那把勺子，发现上面都是小孔，用这把勺子舀水，一辈子也别想把那个池塘舀干净。小姑娘蹲在池塘边一边舀水一边哭了起来。这时，老婆婆又出现了，她问清了小姑娘难过的原因，就对她说："我的孩子，去美丽的草地上好好歇一会儿吧，我来帮你干活。"

小姑娘走开了。只见老婆婆一挥手，池塘里的水就聚集成了一道水柱，直冲云霄，然后变成了美丽的云朵飘在天空中。很快，池塘里的水就干了。小女孩在草地上一直睡到了黄昏，她醒来后跑到池塘边一看，发现池塘已经干涸了，就去告诉了继母。

"哼，这么点儿活笨蛋也能干完。"虽然嘴上这么说，但继母已经被气得头都昏了。她赶紧又再想别的办法来折磨小姑娘。

第二天天一亮，继母就对小姑娘说："今天，你的任务是在那块空地上建好一座城堡。天黑的时候我就要看到。"

小姑娘惊呆了，她喃喃地说道："可这是不可能的啊。"

"你还敢顶嘴？你不想活了吗？"继母疯狂地吼道，"既然你都能把一个池塘里的水用漏勺舀干，建一座城堡应该也不是什么难事。如果到晚上，我发现城堡里面还缺什么东西的话，你就没命了。"

小姑娘来到空地上，看到那里放着很多石头，就动手搬起来。可尽管她用上了全身的力气，却连最小的石头都搬不动。她伤心地哭了起来。不一会儿，老婆婆又来了，她对小姑娘说道："亲爱的孩子，不要难过，去那边休息吧。我会帮你建一座城堡的，建好之后你就可以住到里面去了。"

小姑娘离开后，老婆婆手一挥，巨石开始有秩序地一层层垒起来，几根坚固的立柱从地底下钻出来横在石头墙上，最后，从别处飞来了许多瓦片，一片片地摆放在屋顶上。午间刚过，风信标就已经在房顶上竖起来了。很快，城堡里面也被布置好了。所有的墙壁都用丝绒布包裹着；地面是大理石的，被打磨得亮闪闪的；明亮的水晶大吊灯悬挂在屋顶上，这些使城堡看起来无比的富丽堂皇。房间里面还挂着一些鸟笼，里面有漂亮的鹦鹉，有会唱歌的黄鹂，真是美妙极了。这个城堡看起来更像是一座王宫。

小姑娘醒来的时候，发现天已经快黑了，这时有无数盏各色的灯光一齐照在她的脸上。小姑娘就这样呆呆地走进了城堡，她发现地上铺着鲜红的地毯，地毯的两侧摆满了艳丽的鲜花，她在梦里都没有见到过这么豪华的城堡。

呆立着的小姑娘突然想起应该去告诉继母这件事，于是她朝家里跑去。她边跑边想："希望她的愿望已经全部被满足，那我以后就有好日子过了。"

继母听说城堡已经建好了，立刻说道："我要立刻住进去。"

继母走进城堡，便发现里面明亮的灯光晃得她睁不开眼睛。"看吧，我就说你总是偷懒，这么快就能把城堡建好，看来以后我得让你干些更重的活儿才对。"

继母把城堡里里外外、上上下下看了一遍，实在挑不出什么毛病来。

"我们现在去厨房，如果看到里面缺少什么东西的话，看我不好好修理你。"继母咬牙切齿地说道。

可当她走进厨房一看，壁炉里的火正熊熊燃烧着，锅里煮的肉汤散发出诱人的香味。炊具和餐具摆放得整整齐齐，连煤都规规矩矩地堆放在筐里，这里什么都不缺。

"地窖在哪儿？要是看到酒桶里没有装满酒，我就打烂你的手。"继母一边咆哮着，一边掀开地窖的门向下走去。可就在继母刚刚迈出了两步，不知为什么，靠在墙上的铁门忽然向她倒了过去。

小姑娘尖叫着向继母跑过去，想要把她推开。可她还是慢了一步，等她跑到继母身边的时候，继母已经被压在铁门下面，没气了。

现在，这个城堡完全属于小姑娘一个人的了。衣柜里挂满了各式各样的漂亮礼服，抽屉里摆放着璀璨夺目的珠宝首饰，她现在什么都不缺了。不久以后，小姑娘的美貌和富有就远近闻名了，于是很多求婚者都来登门拜访，可没有一个人能让小姑娘动心。后来，城堡里来了一位王子，他是一个非常讨人喜欢的人，于是小姑娘就和他订立了婚约。

一天，王子和小姑娘正坐在花园里聊天。王子对小姑娘说："我现在要马上回王宫去，把我们的婚约告诉我的父母，你在这里等我，几个小时后我就能赶回来。"

小姑娘在王子的左脸颊上吻了一下，然后说道："你要遵守誓约，决不能让人吻你的左边脸颊。快去快回，我在这里等你。"

小姑娘一直坐在花园里等王子，可是从早等到晚也不见王子的踪影。就这样，小姑娘在花园里等了整整三天，王子也没

王子来拜访小姑娘

有回来。小姑娘心里感到非常不安，她想王子可能出事了，她得去找他。

小姑娘带上了三件衣服——一件上面绣着闪闪发亮的星星，一件上面绣着皎洁的月亮，一件上面绣着火红的太阳，又用手帕包了一包珠宝就出发了。她到处打听王子的下落，可是没有人知道。小姑娘找了很多地方，也没有见到王子。最后，她流落到一个农场里，在那里她成了放牛的女孩，她把带在身上的衣服和珠宝都埋在了一块石头下面。

每当她放牛的时候，她的心里都会悲伤地回忆起她和王子在一起的欢乐时光。有一头小牛是她亲手喂大的，所以跟她非常亲昵，每次一听到她说：

小牛小牛快到我身边来，
不要把你的女孩来忘怀，
王子已经忘了他的女孩，
让她在花园里苦苦等待。

小牛就会乖乖地跑过来，蜷伏在小姑娘身边，紧紧地和她依偎在一起。

就这样，小姑娘哀怨地在农场里一待就是几年。有一天，国王的女儿要出嫁，人们都跑出去看热闹。小姑娘把牛赶到了大路上，正好新郎骑着马从那里经过。小姑娘打量着得意扬扬的新郎，突然发现，他就是自己一直在苦苦寻找的那个王子，顿时心如刀割。

"亏我还不畏艰险地到处把他寻找，可他的心里早已经把我忘记了。"小姑娘心想。

第二天，小姑娘又一次看见王子从这里经过。当王子走过她身边的时候，她就对着她的那头小牛说道：

小牛小牛快到我身边来，
不要把你的女孩来忘怀，
王子已经忘了他的女孩，
让她在花园里苦苦等待。

忽然听到了有些熟悉的声音，王子连忙勒住了马缰绳，仔细地盯着小姑娘的脸看了起来。他用手轻轻拍着脑袋，努力地思索。可是，过了好一会儿，他却什么都没说，面无表情地离开了。

"他已经彻底把我忘记，就连看到我的样子都想不起来了。"小姑娘伤心地想。

过了几天，王宫里要举办一次持续三天的盛大宴会，所有人都在被邀请之列。小姑娘心想："我要做最后一次努力。"

当夜晚来临时，小姑娘把她埋在石头下面的东西找了出来。她穿上那件绣着火红太阳的礼服，然后佩戴着最耀眼的珠宝。她把瀑布一样的头发披在肩上就朝着王宫走去了。

小姑娘一走进王宫，人们都被她的美貌惊艳了，就连王子都亲自出来迎接她。王子从宴会一开始就一直跟小姑娘跳舞，跳了一曲又一曲，连他的新娘是谁他都不记得了。当宴会结束的时候，小姑娘一个人匆匆回到了农场，又穿上了牧牛女孩的服装。

　　第二天傍晚，小姑娘穿上了那件绣着皎洁月亮的礼服，戴上月亮造型的珠宝又来到了宴会上。人们为她的美貌发出了一阵阵的惊叹。王子已经彻底被她征服，眼睛整晚都没离开过她的脸庞。在宴会结束的时候，小姑娘答应王子第三天她还会准时来的。

　　第三天，当小姑娘穿着她那件绣满了星星的礼服，戴着同样闪闪发光的珠宝走进宴会厅的时候，王子就迫不及待地向她跑过来。他拉起小姑娘的手，焦急地说道："我感觉我以前认识你，但我怎么也想不起来了，你快告诉我你是谁。"

　　小姑娘轻轻地吻了一下王子左边的脸颊，然后说道："别的你都可以忘记，可是这个吻你也不记得了吗？"

　　突然间，王子的记忆完全恢复了，他记起了这个曾经跟自己定过婚约的女孩。

　　"我记起来了，你才是我真正的新娘。走吧，我们回家去。"说完，王子就带着小姑娘坐上了马车，朝着他们的城堡飞驰而去。

　　很快，城堡的灯光照亮了他们的脸庞，鸟儿的鸣唱在空中回荡，牧师已经站在门口迎接他们了，一场盛大的婚礼即将举行。

王子想起来小姑娘才是他真正的新娘

译后记

　　《格林童话》是德国的童话故事合集，收录的几百则童话故事都是格林兄弟从民间故事整理而来的，有不少故事已被改编成了影视作品。大名鼎鼎的格林兄弟是指雅各布·格林和威廉·格林兄弟两人。他们分别于 1785 年 1 月 4 日和 1786 年 2 月 24 日出生在黑森州法兰克福附近的哈瑙，雅各布是哥哥。雅各布和威廉由于年龄较为接近，并且又有着相同的兴趣与爱好，因此两兄弟的感情在众多的兄弟姐妹中显得尤为密切。

　　格林兄弟的父亲菲利普·威廉在雅各布 11 岁时去世了，一家人随后搬到了城里的一间小房子里。读完小学后，格林兄弟一起进入卡塞尔的弗里德里希文科中学上学，后来又共同前往马尔堡大学学习法律。在大学里，他们受到了弗里德里希·卡尔·冯·萨维尼教授的影响，对很久以前发生的事情产生了浓厚的兴趣。于是在二十几岁时，他们便开始了语言学与文字学方面的研究，格林定律和童话与民间故事集便是这些研究的成果。正因为两个人对于语言和历史有着深入的研究，才为《格林童话》后来取得的巨大成就奠定了基础。

　　1808 年，雅各布被任命为西伐利亚国王的图书管理员。

1812年，格林兄弟出版了他们的第一卷童话，即《献给孩子和家庭的童话》，也就是早期的《格林童话》。书中的故事大多来自于口传故事，他们不辞辛劳地穿梭于乡间地头，四处从农民与乡下人那里搜罗故事，然后再认真地进行筛选和整理，其中，光是搜集工作就进行了整整6年。在合作过程中，雅各布侧重于研究工作，而威廉的工作则较为细腻，是将收集来的内容变成具有童真风格的文学作品。

《格林童话》用富有象征意义的形象来影射善与恶，用生动有趣的故事来表达善恶观，引发儿童对自我的追问，引导他们形成正确的善恶观。在《格林童话》原版的众多童话故事中，我们精心选取了其中的31篇，重新进行了翻译整理。其中有歌颂勇敢冒险精神的《勇敢的小裁缝》《去当音乐家》，有歌颂人性善良的《灰姑娘》《星星银元》，告诫孩子们应该诚实守信的《青蛙王子》，有教育孩子们要懂得感恩的《小精灵和老鞋匠》，有教会孩子们如何运用智慧的《费切尔的怪鸟》和《聪明的小裁缝》《智者神偷》，还有提醒孩子们骄傲会让他们一败涂地的《画眉嘴国王》等。所有的故事，或鞭挞，或颂扬，都旨在让孩子们更深入地了解人性，了解人性的真、善、美，同时也了解人性丑陋的一面。

快快翻开这本《格林童话》吧，认真地读，细细地想，让这些古老而又神奇的故事静静地在每个孩子的心中流淌。

世界名著好享读（原版插画典藏版）

作品目录

这个笔记本
属于**热爱**阅读的

_____

暖心灯童书馆

阅读照亮人生

暖心灯童书馆，是人民东方出版传媒集团旗下的童书品牌，融合了国内外优秀的作者资源和专业的业务队伍，致力于出版和推广优秀儿童读物。以"当一个点灯的人，让阅读照亮每个孩子的一生"为理念，致力于世界经典儿童文学名著、优秀原创儿童文学、经典绘本、育儿书、科普书等作品的出版和推广，做个掌灯人，让阅读照亮孩子的人生之路。

暖心灯童书馆订阅号

《世界名著好享读·第一辑》（全5册）
作者：[丹麦]安徒生等/著
译者：欧绮婷等/译
定价：180.0元
适读：6岁以上

《世界名著好享读·第二辑》（全5册）
作者：[德]雅各布·格林等/著
译者：李知乐等/译
定价：180.0元
适读：6岁以上

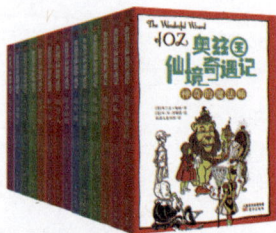

《奥兹国仙境奇遇记》（全14册）
作者：[美]弗兰克·鲍姆/著
　　　[美]W.W.丹斯诺、约翰·R.尼尔/绘
译者：稻草人童书馆/译
定价：425.8元

《米朵朵上学记》（全6册）
作者：任小霞/著
定价：168.0元
适读：5-12岁

《叽叽喳喳的早晨——台湾经典儿童诗绘本》
（全5册）
作者：林焕彰、林良、罗青、杨唤/著
　　　陈志贤、龚云鹏、刘伯乐、罗青/绘
定价：180.0元
适读：3岁以上

《希利尔写给儿童的世界历史、世界地理和艺术史》（全3册）
作者：[美]维吉尔·M.希利尔/著
　　　[美]爱德华·G.休伊/修订
译者：杨立新、龙江/译
适读：6岁以上